In diesen Erzählungen tastet Musil in das Dunkel jenes unfaßbaren Seins, das die Grenze unseres Menschentums umgibt und uns noch Dinge vermittelt, die schon außerhalb unseres Lebens zu sein scheinen. Drei Frauen: der Bäuerin, der portugiesischen Aristokratin und der Verkäuferin stehen drei Männer gegenüber, die durch sie ihre Tragik erleiden. Eine große Fremdheit liegt hier zwischen den Geschlechtern, und gerade in dieser Spannung zeigt sich Musils eigentliche Stärke, hineinzuwandern in die seelischen Labyrinthe und Hintergründe.

Den am 6. November 1880 in Klagenfurt geborenen Dichter Robert Musil, der am 15. April 1942 in der Schweizer Emigration starb, nannte die Londoner «Times» sieben Jahre nach seinem Tod «den bedeutendsten deutschsprachigen Romancier dieser Jahrhunderthälfte und zugleich unbekanntesten Schriftsteller dieses Zeitalters». Bis zur Wiederveröffentlichung seiner drei meisterlichen, erstmals 1924 erschienenen Erzählungen, war Robert Musil in der Tat – wie die «Times» richtig feststellte – nur einem engen, literarisch interessierten Kreis als ein Joyce und Proust ebenbürtiger genialer Erzähler bekannt. Er war als Außenseiter zur Literatur gekommen. Nach dem Wunsch seiner Eltern sollte er Offizier werden. Aus eigenem Entschluß sattelte er, ehe er militärisch avancierte, um. Schon mit 21 Jahren wurde er Ingenieur, spielte mit dem Gedanken einer entsprechenden wissenschaftlichen Karriere, änderte aber nochmals seinen Berufsplan und studierte Philosophie. Jahrzehntelang widmete sich Musil schließlich vor allem der Gigantenarbeit an seinem monumentalen Romanwerk «Der Mann ohne Eigenschaften», mit dem er sich als der deutsche Stilist und Moralist des 20. Jahrhunderts auswies, das aber bis zu seinem Tod in drei großen Teilen nur unvollendet der Öffentlichkeit bekannt wurde. Nach einer ersten Neuausgabe im Rahmen der «Gesammelten Werke» 1952 bis 1957 erschien das bedeutende Werk 1978, zusammen mit dem übrigen dichterischen wie auch dem kritisch-essayistischen Werk, in einer vom Herausgeber Adolf Frisé auf Grund langjähriger Forschungen neu edierten und aus dem Nachlaß ergänzten zweibändigen Buch- und, parallel dazu, in einer neunbändigen Taschenbuch-Ausgabe. Vorangegangen war 1976 die komplettierte und eingehend kommentierte, auch von Adolf Frisé vorgelegte zweibändige Ausgabe der «Tagebücher» 1899–1941/42. 1981 erschienen «Briefe 1901–1942» in zwei Bänden.

Als rororo-Taschenbücher erschienen von Robert Musil außerdem: «Die Verwirrungen des Zöglings Törleß» (Nr. 300), «Nachlaß zu Lebzeiten» (Nr. 500), «Die Schwärmer» (Nr. 5028) und «Der Mann ohne Eigenschaften» (Rowohlt Jahrhundert Bd. 1 + 2) sowie «Frühe Prosa und aus dem Nachlaß zu Lebzeiten» (Rowohlt 1983).

In der Reihe «rowohlts monographien» erschien als Band 81 eine Darstellung Robert Musils mit Selbstzeugnissen und Bilddokumenten von Wilfried Berghahn, die eine ausführliche Bibliographie enthält. Von Karl Corino erschien «Robert Musil. Leben und Werk in Bildern und Texten» (Rowohlt 1988).

Robert Musil

# Drei Frauen

Im Anhang: Autobiographisches
aus dem Nachlaß sowie ein Nachwort
von Adolf Frisé

Rowohlt

377.–384. Tausend November 1990

Veröffentlicht im Rowohlt Taschenbuch Verlag GmbH,
Hamburg, Oktober 1952
Copyright © 1978 by Rowohlt Verlag GmbH,
Reinbek bei Hamburg
Umschlaggestaltung Nina Rothfos
Satz Garamond (Linotron 505 C)
Gesamtherstellung Clausen & Bosse, Leck
Printed in Germany
680-ISBN 3 499 10064 9

# Grigia

Es gibt im Leben eine Zeit, wo es sich auffallend verlangsamt, als zögerte es weiterzugehn oder wollte seine Richtung ändern. Es mag sein, daß einem in dieser Zeit leichter ein Unglück zustößt.

Homo besaß einen kranken kleinen Sohn; das zog durch ein Jahr, ohne besser zu werden und ohne gefährlich zu sein, der Arzt verlangte einen langen Kuraufenthalt, und Homo konnte sich nicht entschließen, mitzureisen. Es kam ihm vor, als würde er dadurch zu lange von sich getrennt, von seinen Büchern, Plänen und seinem Leben. Er empfand seinen Widerstand als eine große Selbstsucht, es war aber vielleicht eher eine Selbstauflösung, denn er war zuvor nie auch nur einen Tag lang von seiner Frau geschieden gewesen; er hatte sie sehr geliebt und liebte sie noch sehr, aber diese Liebe war durch das Kind trennbar geworden, wie ein Stein, in den Wasser gesickert ist, das ihn immer weiter auseinander treibt. Homo staunte sehr über diese neue Eigenschaft der Trennbarkeit, ohne daß mit seinem Wissen und Willen je etwas von seiner Liebe abhanden gekommen wäre, und so lang die Zeit der vorbereitenden Beschäftigung mit der Abreise war, wollte ihm nicht einfallen, wie er allein den kommenden Sommer verbringen werde. Er empfand bloß einen heftigen Widerwillen gegen Bade- und Gebirgsorte. Er blieb allein zurück und am zweiten Tag erhielt er einen Brief, der ihn einlud, sich an einer Gesellschaft zu beteiligen, welche die alten venezianischen Goldbergwerke im Fersenatal wieder aufschließen wollte. Der Brief war von einem Herrn Mozart Amadeo Hoffingott, den er vor einigen Jahren auf einer Reise kennen gelernt und während weniger Tage zum Freund gehabt hatte.

Trotzdem entstand in ihm nicht der leiseste Zweifel, daß es sich um eine ernste, redliche Sache handle. Er gab zwei Telegramme auf; in dem einen teilte er seiner Frau mit, daß er schon jetzt abreise und ihr seinen Aufenthalt melden werde, mit dem zweiten nahm er das Angebot an, sich als Geologe und vielleicht auch mit einem größeren Betrag Geldes an den Aufschließungsarbeiten zu beteiligen.

In P., das ein Maulbeer und Wein bauendes, verschlossen reiches italienisches Städtchen ist, traf er mit Hoffingott, einem großen, schönen schwarzen Mann seines eigenen Alters, zusammen, der immer in Bewegung war. Die Gesellschaft verfügte, wie er erfuhr, über gewaltige amerikanische Mittel, und die Arbeit sollte großen Stil haben. Einstweilen ging zur Vorbereitung eine Expedition talein, die aus ihnen beiden und drei Teilhabern bestand, Pferde wurden gekauft, Instrumente erwartet und Hilfskräfte angeworben.

Homo wohnte nicht im Gasthof, sondern, er wußte eigentlich nicht warum, bei einem italienischen Bekannten Hoffingotts. Es gab da drei Dinge, die ihm auffielen. Betten von einer unsagbar kühlen Weichheit in schöner Mahagonischale. Eine Tapete mit einem unsagbar wirren, geschmacklosen, aber durchaus unvollendbaren und fremden Muster. Und ein Schaukelstuhl aus Rohr; wenn man sich in diesem wiegt und die Tapete anschaut, wird der ganze Mensch zu einem auf- und niederwallenden Gewirr von Ranken, die binnen zweier Sekunden aus dem Nichts zu ihrer vollen Größe anwachsen und sich wieder in sich zurückziehen.

In den Straßen war eine Luft, aus Schnee und Süden gemischt. Es war Mitte Mai. Abends waren sie von großen Bogenlampen erhellt, die an quergespannten Seilen so hoch hingen, daß die Straßen darunter wie Schluchten von dunklem Blau lagen, auf deren finstrem Grund man dahingehen mußte, während sich oben im Weltraum weiß zischende Sonnen drehten. Tagsüber sah man auf Weinberg und Wald. Das hatte den Winter rot, gelb und grün überstanden; weil die Bäume das Laub nicht abwarfen, war Welk und Neu durcheinandergeflochten wie in Friedhofskränzen, und kleine rote, blaue und rosa Villen staken, sehr sichtbar noch, wie verschieden gestellte Würfel darin, ein ihnen unbekanntes, eigentümliches Formgesetz empfindungslos vor aller Welt darstellend. Oben aber war der Wald dunkel und der Berg hieß Selvot. Er trug über dem Wald Almböden, die, verschneit, in breitem, gemäßigtem Wellenschlag über die Nachbarberge weg das kleine hart ansteigende Seitental begleiteten, in das die Expedition einrücken sollte. Kamen, um Milch zu liefern und Polenta zu kaufen, Männer von diesen Bergen, so brachten sie manchmal große Drusen Bergkristall oder Amethyst mit, die in vielen Spalten so üppig wachsen sollten wie anderswo Blumen auf der Wiese, und diese unheimlich schönen Märchengebilde verstärkten noch mehr den Eindruck, daß sich unter dem Aussehen dieser Gegend, das so fremd vertraut flackerte wie die Sterne in mancher Nacht, etwas sehnsüchtig Erwartetes verberge. Als sie in das Gebirgstal hineinritten und um sechs Uhr

Sankt Orsola passierten, schlugen bei einer kleinen, eine buschige Bergrinne überquerenden Steinbrücke wenn nicht hundert, so doch sicher zwei Dutzend Nachtigallen; es war heller Tag.

Als sie drinnen waren, befanden sie sich an einem seltsamen Ort. Er hing an der Lehne eines Hügels; der Saumweg, der sie hingeführt hatte, sprang zuletzt förmlich von einem großen platten Stein zum nächsten, und von ihm flossen, den Hang hinab und gewunden wie Bäche, ein paar kurze, steile Gassen in die Wiesen. Stand man am Weg, so hatte man nur vernachlässigte und dürftige Bauernhäuser vor sich, blickte man aber von den Wiesen unten herauf, so meinte man sich in ein vorweltliches Pfahldorf zurückversetzt, denn die Häuser standen mit der Talseite alle auf hohen Balken, und ihre Abtritte schwebten etwas abseits von ihnen wie die Gondeln von Sänften auf vier schlanken baumlangen Stangen über dem Abhang. Auch die Landschaft um dieses Dorf war nicht ohne Sonderbarkeiten. Sie bestand aus einem mehr als halbkreisförmigen Wall hoher, oben von Schroffen durchsetzter Berge, welche steil zu einer Senkung abfielen, die rund um einen in der Mitte stehenden kleineren und bewaldeten Kegel lief, wodurch das Ganze einer leeren gugelhupfförmigen Welt ähnelte, von der ein kleines Stück durch den tief fließenden Bach abgeschnitten worden war, so daß sie dort klaffend gegen die hohe, zugleich mit ihm talwärts streichende andere Flanke seines Ufers lehnte, an welcher das Dorf hing. Es gab ringsum unter dem Schnee Kare mit Knieholz und einigen versprengten Rehen, auf der Waldkuppe in der Mitte balzte schon der Spielhahn, und auf den Wiesen der Sonnenseite blühten die Blumen mit gelben, blauen und weißen Sternen, die so groß waren, als hätte man einen Sack mit Talern ausgeschüttet. Stieg man aber hinter dem Dorf noch etwa hundert Fuß höher, so kam man auf einen ebenen Absatz von nicht allzugroßer Breite, den Äcker, Wiesen, Heuställe und verstreute Häuser bedeckten, während von einer gegen das Tal zu vorspringenden Bastion die kleine Kirche in die Welt hinausblickte, welche an schönen Tagen fern vor dem Tal wie das Meer vor einer Flußmündung lag; man konnte kaum unterscheiden, was noch goldgelbe Ferne des gesegneten Tieflands, war und wo schon die unsicheren Wolkenböden des Himmels begonnen hatten.

Es war ein schönes Leben, das da seinen Anfang nahm. Tagsüber auf den Bergen, bei alten verschütteten Stolleneingängen und neuen Schürfversuchen, oder auf den Wegen das Tal hinaus, wo eine breite

Straße gelegt werden sollte; in einer riesigen Luft, die schon sanft und schwanger von der kommenden Schneeschmelze war. Sie schütteten Geld unter die Leute und walteten wie die Götter. Sie beschäftigten alle Welt, Männer und Frauen. Aus den Männern bildeten sie Arbeitspartien und verteilten sie auf die Berge, wo sie wochenüber verbleiben mußten, aus den Weibern formierten sie Trägerkolonnen, welche ihnen Werkzeugersatz und Proviant auf kaum wegsamen Steigen nachschafften. Das steinerne Schulhaus ward in eine Faktorei verwandelt, wo die Waren aufbewahrt und verladen wurden; dort rief eine scharfe Herrenstimme aus den schwatzend wartenden Weibern eins nach dem andern vor, und es wurde der große leere Rückenkorb so lang befrachtet, bis die Knie sich bogen und die Halsadern anschwollen. War solch ein hübsches junges Weib beladen, so hing ihm der Blick bei den Augen heraus und die Lippen blieben offen stehn; es trat in die Reihe, und auf das Zeichen begannen diese stillgewordenen Tiere hintereinander langsam in langen Schlangenwegen ein Bein vor das andre bergan zu setzen. Aber sie trugen köstliche, seltene Last, Brot, Fleisch und Wein, und mit den Eisengeräten mußte man nicht ängstlich umgehn, so daß außer dem Barlohn gar manches Brauchbare für die Wirtschaft abfiel, und darum trugen sie es gerne und dankten noch den Männern, welche den Segen in die Berge gebracht hatten. Und das war ein herrliches Gefühl; man wurde hier nicht, wie sonst überall in der Welt, geprüft, was für ein Mensch man sei, – ob verläßlich, mächtig und zu fürchten oder zierlich und schön, – sondern was immer für ein Mensch man war und wie immer man über die Dinge des Lebens dachte, man fand Liebe, weil man den Segen gebracht hatte; sie lief wie ein Herold voraus, sie war überall wie ein frisches Gastbett bereitet, und der Mensch trug Willkommgeschenke in den Augen. Die Frauen durften das frei ausströmen lassen, aber manchmal, wenn man an einer Wiese vorbeikam, vermochte auch ein alter Bauer dort zu stehn und winkte mit der Sense wie der leibhafte Tod.

Es lebten übrigens merkwürdige Leute in diesem Talende. Ihre Voreltern waren zur Zeit der tridentinischen Bischofsmacht als Bergknappen aus Deutschland gekommen, und sie saßen heute noch eingesprengt wie ein verwitterter deutscher Stein zwischen den Italienern. Die Art ihres alten Lebens hatten sie halb bewahrt und halb vergessen, und was sie davon bewahrt hatten, verstanden sie wohl selbst nicht mehr. Die Wildbäche rissen ihnen im Frühjahr den Boden weg, es gab Häuser, die einst auf einem Hügel und jetzt am Rand eines Abgrunds standen, ohne daß sie etwas dagegen taten, und umgekehrten Wegs spülte ihnen die neue Zeit allerhand ärgsten Unrat in die Häuser. Da gab es billige polierte Schränke, scherzhafte Postkarten und Öldruckbilder, aber manchmal war ein Kochgeschirr da, aus dem schon zur Zeit Martin Luthers gegessen worden sein mochte. Sie waren nämlich Protestanten; aber wenn es wohl auch nichts als dieses zähe Festhalten an ihrem Glauben war, was sie vor der Verwelschung geschützt hatte, so waren sie dennoch keine guten Christen. Da sie arm waren, verließen fast alle Männer kurz nach der Heirat ihre Frauen und gingen für Jahre nach Amerika; wenn sie zurückkamen, brachten sie ein wenig erspartes Geld mit, die Gewohnheiten der städtischen Bordelle und die Ungläubigkeit, aber nicht den scharfen Geist der Zivilisation.

Homo hörte gleich zu Beginn eine Geschichte erzählen, die ihn ungemein beschäftigte. Es war nicht lange her, mochte so etwa in den letzten fünfzehn Jahren stattgefunden haben, daß ein Bauer, der lange Zeit fortgewesen war, aus Amerika zurückkam und sich wieder zu seiner Frau in die Stube legte. Sie freuten sich einige Zeit, weil sie wieder vereint waren, und ließen es sich gut gehen, bis die letzten Ersparnisse weggeschmolzen waren. Als da die neuen Ersparnisse, die aus Amerika nachkommen sollten, noch immer nicht eingetroffen waren, machte sich der Bauer auf, um – wie es alle Bauern dieser Gegend taten – den Lebensunterhalt draußen durch Hausieren zu gewinnen, während die Frau die uneinträgliche Wirtschaft wieder weiter besorgte. Aber er kehrte nicht mehr zurück. Dagegen traf wenige Tage später auf einem von diesem abgelegenen Hofe der Bauer aus Amerika ein, erzählte seiner Frau auf den Tag genau, wie lange es her sei, verlangte zu essen, was sie damals am Tag des Abschieds gegessen hatten, wußte noch mit der Kuh Bescheid, die längst nicht mehr da war, und fand sich mit den Kindern in einer anständigen Weise zurecht, die ihm ein andrer Himmel beschert hatte als der, den er inzwischen über seinem Kopf getragen hatte. Auch dieser Bauer ging nach einer Weile des Behagens und Wohllebens auf die Wanderschaft mit dem Kram und kehrte nicht mehr zurück. Das ereignete sich in der Gegend noch ein drittes und viertes Mal, bevor man darauf kam, daß es ein Schwindler war, der drüben mit den Männern zusammen gearbeitet und sie ausgefragt

9

hatte. Er wurde irgendwo von den Behörden festgenommen und eingesperrt, und keine sah ihn mehr wieder. Das soll allen leid getan haben, denn jede hätte ihn gern noch ein paar Tage gehabt und ihn mit ihrer Erinnerung verglichen, um sich nicht auslachen lassen zu müssen; denn jede wollte wohl gleich etwas gemerkt haben, das nicht ganz zum Gedächtnis stimmte, aber keine war dessen so sicher gewesen, daß man es hätte darauf ankommen lassen können und dem in seine Rechte wiederkehrenden Mann Schwierigkeiten machen wollte.

So waren diese Weiber. Ihre Beine staken in braunen Wollkitteln mit handbreiten roten, blauen oder orangenen Borten, und die Tücher, die sie am Kopf und gekreuzt über der Brust trugen, waren billiger Kattundruck moderner Fabrikmuster, aber durch irgend etwas in den Farben oder deren Verteilung wiesen sie weit in die Jahrhunderte der Altvordern zurück. Das war viel älter als Bauerntrachten sonst, weil es nur ein Blick war, verspätet, durch all die Zeiten gewandert, trüb und schwach angelangt, aber man fühlte ihn dennoch deutlich auf sich ruhn, wenn man sie ansah. Sie trugen Schuhe, die wie Einbäume aus einem Stück Holz geschnitten waren, und an der Sohle hatten sie wegen der schlechten Wege zwei messerartige Eisenstege, auf denen sie in ihren blauen und braunen Strümpfen gingen wie die Japanerinnen. Wenn sie warten mußten, setzten sie sich nicht auf den Wegrand, sondern auf die flache Erde des Pfads und zogen die Knie hoch wie die Neger. Und wenn sie, was zuweilen geschah, auf ihren Eseln die Berge hinanritten, dann saßen sie nicht auf ihren Röcken, sondern wie Männer und mit unempfindlichen Schenkeln auf den scharfen Holzkanten der Tragsättel, hatten wieder die Beine unziemlich hochgezogen und ließen sich mit einer leise schaukelnden Bewegung des ganzen Oberkörpers tragen.

Sie verfügten aber auch über eine verwirrend freie Freundlichkeit und Liebenswürdigkeit. «Treten Sie bitte ein», sagten sie aufrecht wie die Herzoginnen, wenn man an ihre Bauerntür klopfte, oder wenn man eine Weile mit ihnen stand und im Freien plauderte, konnte plötzlich eine mit der höchsten Höflichkeit und Zurückhaltung fragen: «Darf ich Ihnen nicht den Mantel halten?» Als Doktor Homo einmal einem reizenden vierzehnjährigen Mädel sagte, «Komm ins Heu», – nur so, weil ihm das Heu plötzlich so natürlich erschien wie für Tiere das Futter, – da erschrak dieses Kindergesicht unter dem spitz vorstehenden Kopftuch der Altvordern keineswegs, sondern schnob nur heiter aus Nase und Augen, die Spitzen ihrer kleinen Schuhboote kippten um die Fersen hoch, und mit geschultertem Rechen wäre sie beinahe aufs zurückschnellende Gesäß gefallen, wenn das Ganze nicht bloß ein Ausdruck lieblich ungeschickten Erstaunens über die Begehrlichkeit des Manns hätte sein sollen, wie in der komischen Oper. Ein andermal fragte er eine große Bäurin, die aussah wie eine deutsche Wittib am Theater, «bist Du noch eine Jungfrau, sag?!» und faßte sie am Kinn, – wieder nur so, weil die Scherze doch etwas Mannsgeruch haben sollen; die aber ließ das Kinn ruhig auf seiner Hand ruhn und antwortete ernst: «Ja, natürlich.» Homo verlor da fast die Führung; «Du bist noch eine Jungfrau?!» wunderte er sich schnell und lachte. Da kicherte sie mit. «Sag!?» drang er jetzt näher und schüttelte sie spielend am Kinn. Da blies sie ihm ins Gesicht und lachte: «Gewesen!»

«Wenn ich zu Dir komm, was krieg ich?» frug es sich weiter.

«Was Sie wollen.»

«Alles, was ich will?»

«Alles.»

«Wirklich alles?!»

«Alles! Alles!!» und das war eine so vorzüglich und leidenschaftlich gespielte Leidenschaft, daß diese Theaterechtheit auf sechzehnhundert Meter Höhe ihn sehr verwirrte. Er wurde es nicht mehr los, daß dieses Leben, welches heller und würziger war als jedes Leben zuvor, gar nicht mehr Wirklichkeit, sondern ein in der Luft schwebendes Spiel sei.

Es war inzwischen Sommer geworden. Als er zum erstenmal die Schrift seines kranken Knaben auf einem ankommenden Brief gesehen hatte, war ihm der Schreck des Glücks und heimlichen Besitzes von den Augen bis in die Beine gefahren; daß sie jetzt seinen Aufenthaltsort wußten, erschien ihm wie eine ungeheure Befestigung. Er ist hier, oh, man wußte nun alles, und er brauchte nichts mehr zu erklären. Weiß und violett, grün und braun standen die Wiesen. Er war kein Gespenst. Ein Märchenwald von alten Lärchenstämmen, zartgrün behaarten, stand auf smaragdener Schräge. Unter dem Moos mochten violette und weiße Kristalle leben. Der Bach fiel einmal mitten im Wald über einen Stein so, daß er aussah wie ein großer silberner Steckkamm. Er beantwortete nicht mehr die Briefe seiner Frau. Zwischen den Geheimnissen dieser Natur

war das Zusammengehören eines davon. Es gab eine zart scharlach-
farbene Blume, es gab diese in keines anderen Mannes Welt, nur in
seiner, so hatte es Gott geordnet, ganz als ein Wunder. Es gab eine
Stelle am Leib, die wurde versteckt und niemand durfte sie sehn,
wenn er nicht sterben sollte, nur einer. Das kam ihm in diesem
Augenblick so wundervoll unsinnig und unpraktisch vor, wie es nur
eine tiefe Religion sein kann. Und er erkannte jetzt erst, was er getan
hatte, indem er sich für diesen Sommer absonderte und von seiner
eigenen Strömung treiben ließ, die ihn erfaßt hatte. Er sank zwischen den Bäumen mit den giftgrünen Bärten aufs Knie, breitete die
Arme aus, was er so noch nie in seinem Leben getan hatte, und ihm
war zu Mut, als hätte man ihm in diesem Augenblick sich selbst aus
den Armen genommen. Er fühlte die Hand seiner Geliebten in
seiner, ihre Stimme im Ohr, alle Stellen seines Körpers waren wie
eben erst berührt, er empfand sich selbst wie eine von einem anderen
Körper gebildete Form. Aber er hatte sein Leben außer Kraft gesetzt. Sein Herz war demütig vor der Geliebten und arm wie ein
Bettler geworden, beinahe strömten ihm Gelübde und Tränen aus
der Seele. Dennoch stand es fest, daß er nicht umkehrte, und
seltsamerweise war mit seiner Aufregung ein Bild der rings um den
Wald blühenden Wiesen verbunden, und trotz der Sehnsucht nach
Zukunft das Gefühl, daß er da, zwischen Anemonen, Vergißmein-
nicht, Orchideen, Enzian und dem herrlich grünbraunen Sauer-
ampfer, tot liegen werde. Er streckte sich am Moose aus. «Wie Dich
hinübernehmen?» fragte sich Homo. Und sein Körper fühlte sich
sonderbar müd wie ein starres Gesicht, das von einem Lächeln
aufgelöst wird. Da hatte er nun immer gemeint, in der Wirklichkeit
zu leben, aber war etwas unwirklicher, als daß ein Mensch für ihn
etwas anderes war als alle anderen Menschen? Daß es unter den
unzähligen Körpern einen gab, von dem sein inneres Wesen fast
ebenso abhing wie von seinem eigenen Körper? Dessen Hunger und
Müdigkeit, Hören und Sehen mit seinem zusammenhing? Als das
Kind aufwuchs, wuchs das, wie die Geheimnisse des Bodens in ein
Bäumchen, in irdisches Sorgen und Behagen hinein. Er liebte sein
Kind, aber wie es sie überleben würde, hatte es noch früher den
jenseitigen Teil getötet. Und es wurde ihm plötzlich heiß von einer
neuen Gewißheit. Er war kein dem Glauben zugeneigter Mensch,
aber in diesem Augenblick war sein Inneres erhellt. Die Gedanken
erleuchteten so wenig wie dunstige Kerzen in dieser großen Helle

seines Gefühls, es war nur ein herrliches, von Jugend umflossenes Wort: Wiedervereinigung da. Er nahm sie in alle Ewigkeiten immer mit sich, und in dem Augenblick, wo er sich diesem Gedanken hingab, waren die kleinen Entstellungen, welche die Jahre der Geliebten zugefügt hatten, von ihr genommen, es war ewiger erster Tag. Jede weltläufige Betrachtung versank, jede Möglichkeit des Überdrusses und der Untreue, denn niemand wird die Ewigkeit für den Leichtsinn einer Viertelstunde opfern, und er erfuhr zum erstenmal die Liebe ohne allen Zweifel als ein himmlisches Sakrament. Er erkannte die persönliche Vorsehung, welche sein Leben in diese Einsamkeit gelenkt hatte, und fühlte wie einen gar nicht mehr irdischen Schatz, sondern wie eine für ihn bestimmte Zauberwelt den Boden mit Gold und Edelsteinen unter seinen Füßen.

Von diesem Tag an war er von einer Bindung befreit, wie von einem steifen Knie oder einem schweren Rucksack. Der Bindung an das Lebendigseinwollen, dem Grauen vor dem Tode. Es geschah ihm nicht, was er immer kommen geglaubt hatte, wenn man bei voller Kraft sein Ende nahe zu sehen meint, daß man das Leben toller und durstiger genießt, sondern er fühlte sich bloß nicht mehr verstrickt und voll einer herrlichen Leichtheit, die ihn zum Sultan seiner Existenz machte.

Die Bohrungen hatten zwar nicht recht vorwärts geführt, aber es war ein Goldgräberleben, das sie umspann. Ein Bursche hatte Wein gestohlen, das war ein Verbrechen gegen das gemeine Interesse, dessen Bestrafung allgemein auf Billigung rechnen konnte, und man brachte ihn mit gebundenen Händen. Mozart Amadeo Hoffingott ordnete an, daß er zum abschreckenden Beispiel Tag und Nacht lang an einen Baum gebunden stehen sollte. Aber als der Werkführer mit dem Strick kam, ihn zum Spaß eindrucksvoll hin und her schwenkte und ihn zunächst über einen Nagel hing, begann der Junge am ganzen Leib zu zittern, weil er nicht anders dachte, als daß er aufgeknüpft werden solle. Ganz das gleiche geschah, obwohl das schwer zu begründen wäre, wenn Pferde eintrafen, ein Nachschub von außen oder solche, die für einige Tage Pflege herabgeholt worden waren: sie standen dann in Gruppen auf der Wiese oder legten sich nieder, aber sie gruppierten sich immer irgendwie scheinbar regellos in die Tiefe, so daß es nach einem geheim verabredeten ästhetischen Gesetz genau so aussah wie die Erinnerung an die kleinen grünen, blauen und rosa Häuser unter dem Selvot. Wenn sie aber oben waren und die Nacht über in irgend einem Bergkessel angebunden standen, zu je dreien oder vieren an einem umgelegten Baum, und man war um drei Uhr im Mondlicht aufgebrochen und kam jetzt um halb fünf des Morgens vorbei, dann schauten sich alle nach dem um, der vorbeiging, und man fühlte in dem wesenlosen Frühmorgenlicht sich als einen Gedanken in einem sehr langsamen Denken. Da Diebstähle und mancherlei Unsicheres vorkamen, hatte man rings in der Umgebung alle Hunde aufgekauft, um sie zur Bewachung zu benützen. Die Streiftrupps brachten sie in großen Rudeln herbei, zu zweit oder dritt an Stricken geführt ohne Halsband. Das waren nun mit einemmal ebensoviel Hunde wie Menschen am Ort, und man mochte sich fragen, welche von beiden Gruppen sich eigentlich auf dieser Erde als Herr im eigenen Hause fühlen dürfe, und welche nur als angenommener Hausgenosse. Es waren vornehme Jagdhunde darunter, venezianische Bracken, wie man sie in dieser Gegend noch zuweilen hielt, und bissige Hausköter wie böse kleine Affen. Sie standen in Gruppen, die sich, man wußte nicht warum, zusammengefunden hatten und fest zusammenhielten, aber von Zeit zu Zeit fielen sie in jeder Gruppe wütend übereinander her. Manche waren halbverhungert, manche verweigerten die Nahrung; ein kleiner weißer fuhr dem Koch an die Hand, als er ihm die Schüssel mit Fleisch und Suppe hinstellen wollte, und biß ihm einen Finger ab. – Um halb vier Uhr des Morgens war es schon ganz hell, aber die Sonne war noch nicht zu sehen. Wenn man da oben am Berg an den Malgen vorbeikam, lagen die Rinder auf den Wiesen in der Nähe halb wach und halb schlafend. In mattweißen steinernen großen Formen lagen sie auf den eingezogenen Beinen, den Körper hinten etwas zur Seite hängend; sie blickten den Vorübergehenden nicht an, noch ihm nach, sondern hielten das Antlitz unbewegt dem erwarteten Licht entgegen, und ihre gleichförmig langsam mahlenden Mäuler schienen zu beten. Man durchschritt ihren Kreis wie den einer dämmrigen erhabenen Existenz, und wenn man von oben zurückblickte, sahen sie wie weiß hingestreute stumme Violinschlüssel aus, die von der Linie des Rückgrats, der Hinterbeine und des Schweifs gebildet wurden. Überhaupt gab es viel Abwechslung. Zum Beispiel, es brach einer ein Bein und zwei Leute trugen ihn auf den Armen vorbei. Oder es wurde plötzlich «Feu . . . er» gerufen, und alles lief, um sich zu decken, denn für den Wegbau wurde ein großer Stein gesprengt. Ein Regen wischte gerade mit den ersten Strichen naß über das Gras. Unter einem Strauch am andern Bachufer brannte ein Feuer, das man über das neue Ereignis vergessen hatte, während es bis dahin sehr wichtig gewesen war; als einziger Zuseher stand daneben jetzt nur noch eine junge Birke. An diese Birke war mit einem in der Luft hängenden Bein noch das schwarze Schwein gebunden; das Feuer, die Birke und das Schwein sind jetzt allein. Dieses Schwein hatte schon geschrien, als es ein einzelner bloß am Strick führte und ihm gut zusprach, doch weiter zu kommen. Dann schrie es lauter, als es zwei andre Männer erfreut auf sich zurennen sah. Erbärmlich, als es bei den Ohren gepackt und ohne Federlesens vorwärtsgezerrt wurde. Es stemmte sich mit den vier Beinen dagegen, aber der Schmerz in den Ohren zog es in kurzen Sprüngen vorwärts. Am andern Ende der Brücke hatte schon einer nach der Hacke gegriffen und schlug es mit der Schneide gegen die Stirn. Von diesem Augenblick an ging alles viel mehr in Ruhe. Beide Vorderbeine brachen gleichzeitig ein, und das Schweinchen schrie erst wieder, als ihm das Messer schon in der Kehle stak; das war zwar ein gellendes, zuckendes Trompeten, aber es sank gleich zu einem Röcheln zusammen, das nur noch wie ein pathetisches Schnarchen war. Das alles bemerkte Homo zum erstenmal in seinem Leben.

Wenn es Abend geworden war, kamen alle im kleinen Pfarrhof zusammen, wo sie ein Zimmer als Kasino gemietet hatten. Freilich war das Fleisch, das nur zweimal der Woche den langen Weg heraufkam, oft etwas verdorben, und man litt nicht selten an einer mäßigen Fleischvergiftung. Trotzdem kamen alle, sobald es dunkel wurde, mit ihren kleinen Laternen die unsichtbaren Wege dahergestolpert. Denn sie litten noch mehr als an Fleischvergiftung an Traurigkeit und Öde, obgleich es so schön war. Sie spülten es mit Wein aus. Eine Stunde nach Beginn lag in dem Pfarrzimmer eine Wolke von Traurigkeit und Tanz. Das Grammophon räderte hindurch wie ein vergoldeter Blechkarren über eine weiche, von wundervollen Sternen besäte Wiese. Sie sprachen nichts mehr miteinander, sondern sie sprachen. Was hätten sie sich sagen sollen, ein Privatgelehrter, ein Unternehmer, ein ehemaliger Strafanstaltsinspektor, ein Bergingenieur, ein pensionierter Major? Sie sprachen in Zeichen – mochten das trotzdem auch Worte sein: des Unbehagens, des relativen Behagens, der Sehnsucht –, eine Tiersprache. Oft stritten sie unnötig lebhaft über irgendeine Frage, die keinen etwas anging, beleidigten einander sogar, und am nächsten Tag gingen Kartellträger hin und her. Dann stellte sich heraus, daß eigentlich überhaupt niemand anwesend gewesen war. Sie hatten es nur getan, weil sie die Zeit totschlagen mußten, und wenn sie auch keiner von ihnen je wirklich gelebt hatte, kamen sie sich doch roh wie die Schlächter vor und waren gegeneinander erbittert.

Es war die überall gleiche Einheitsmasse von Seele: Europa. Ein so unbestimmtes Unbeschäftigtsein, wie es sonst die Beschäftigung war. Sehnsucht nach Weib, Kind, Behaglichkeit. Und zwischendurch immer von neuem das Grammophon. Rosa, wir fahr'n nach Lodz, Lodz, Lodz . . . und Komm in meine Liebeslaube . . . Ein astraler Geruch von Puder, Gaze, ein Nebel von fernem Varieté und europäischer Sexualität. Unanständige Witze zerknallten zu Gelächter und fingen alle immer wieder mit den Worten an: Da ist einmal ein Jud auf der Eisenbahn gefahren . . .; nur einmal fragte einer: Wieviel Rattenschwänze braucht man von der Erde zum Mond? Da wurde es sogar still, und der Major ließ Tosca spielen und sagte, während das Grammophon zum Loslegen ausholte, melancholisch: «Ich habe einmal die Geraldine Farrar heiraten wollen.» Dann kam ihre Stimme aus dem Trichter in das Zimmer und stieg in einen Lift, diese von den betrunkenen Männern angestaunte Frauenstimme, und schon fuhr der Lift mit ihr wie rasend in die Höhe, kam an kein Ziel, senkte sich wieder, federte in der Luft. Ihre Röcke blähten sich vor Bewegung, dieses Auf und Nieder, dieses eine Weile lang angepreßt Stilliegen an einem Ton, und wieder sich Heben und Sinken, und bei alldem dieses Verströmen, und immer doch noch von einer neuen Zuckung Gefaßtwerden, und wieder Ausströmen: war Wollust. Homo fühlte, es war nackt jene auf alle Dinge in den Städten verteilte Wollust, die sich von Totschlag, Eifersucht, Geschäften, Automobilrennen nicht mehr unterscheiden kann, – ah, es war gar nicht mehr Wollust, es war Abenteuersucht, – nein, es war nicht Abenteuersucht, sondern ein aus dem Himmel niederfahrendes Messer, ein Würgengel, Engelswahnsinn, der Krieg? Von einem der vielen langen Fliegenpapiere, die von der Decke herabhingen, war vor ihm eine Fliege heruntergefallen und lag vergiftet am Rücken, mitten in einer jener Lachen, zu denen in den kaum merklichen Falten des Wachstuchs das Licht der Petroleumlampe zusammenfloß; sie waren so vorfrühlingstraurig, als ob nach Regen ein starker Wind gefegt hätte. Die Fliege machte ein paar immer schwächer werdende Anstrengungen, um sich aufzurichten, und eine zweite Fliege, die am Tischtuch äste, lief von Zeit zu Zeit hin, um sich zu überzeugen, wie es stünde. Auch Homo sah ihr genau zu, denn die Fliegen waren hier eine große Plage. Als aber der Tod kam, faltete die Sterbende ihre sechs Beinchen ganz spitz zusammen und hielt sie so in die Höhe, dann starb sie in ihrem blassen Lichtfleck am Wachstuch wie in einem Friedhof von Stille, der nicht in Zentimetermaßen und nicht für Ohren, aber doch vorhanden war. Jemand erzählte gerade: «Das soll einer einmal wirklich ausgerechnet haben, daß das ganze Haus Rothschild nicht so viel Geld hat, um eine Fahrkarte dritter Klasse bis zum Mond zu bezahlen.» Homo sagte leise vor sich hin: «Töten, und doch Gott spüren; Gott spüren, und doch töten?» und er schnellte mit dem Zeigefinger dem ihm gegenübersitzenden Major die Fliege gerade ins Gesicht, was wieder einen Zwischenfall gab, der bis zum nächsten Abend vorhielt.

Damals hatte er schon lange Grigia kennen gelernt, und vielleicht kannte sie der Major auch. Sie hieß Lene Maria Lenzi; das klang wie Selvot und Gronleit oder Malga Mendana, nach Amethystkristallen und Blumen, er aber nannte sie noch lieber Grigia, mit langem I und verhauchtem Dscha, nach der Kuh, die sie hatte, und Grigia, die Graue, rief. Sie saß dann, mit ihrem violett braunen Rock und dem gesprenkelten Kopftuch, am Rand ihrer Wiese, die Spitzen der Holländerschuhe in die Luft gekrümmt, die Hände auf der bunten Schürze verschränkt, und sah so natürlich lieblich aus wie ein schlankes giftiges Pilzchen, während sie der in der Tiefe weidenden Kuh von Zeit zu Zeit ihre Weisungen gab. Eigentlich bestanden sie nur aus den vier Worten «Geh ea!» und «Geh aua!», was soviel zu bedeuten schien wie ‹komm her› und ‹komm herauf›, wenn sich die Kuh zu weit entfernte; versagte aber Grigias Dressur, so folgte dem ein heftig entrüstetes: «Wos, Teufi, do geh hea», und als letzte Instanz polterte sie wie ein Steinchen selbst die Wiese hinab, das nächste Stück Holz in der Hand, das sie aus Wurfdistanz nach der Grauen sandte. Da Grigia aber einen ausgesprochenen Hang hatte, sich immer wieder talwärts zu entfernen, wiederholte sich der Vorgang in allen seinen Teilen mit der Regelmäßigkeit eines sinkenden und stets von neuem aufgewundenen Pendelgewichts. Weil das so paradiesisch sinnlos war, neckte er sie damit, indem er sie selbst Grigia rief. Er konnte sich nicht verhehlen, daß sein Herz lebhafter schlug, wenn er sich der so Sitzenden aus der Ferne nahte; so schlägt es, wenn man plötzlich in Tannenduft eintritt oder in die würzige Luft, die von einem Waldboden aufsteigt, der viele Schwämme trägt. Es blieb immer etwas Grauen vor der Natur in diesem Eindruck enthalten, und man darf sich nicht darüber täuschen, daß die Natur nichts weniger als natürlich ist; sie ist erdig, kantig, giftig und unmenschlich in allem, wo ihr der Mensch nicht seinen Zwang auferlegt. Wahrscheinlich war es gerade das, was ihn an die Bäuerin band, und zur anderen Hälfte war es ein nimmermüdes Staunen, weil sie so sehr einer Frau glich. Man würde ja auch staunen, wenn man mitten im Holz eine Dame mit einer Teetasse sitzen sähe.

Bitte, treten Sie ein, hatte auch sie gesagt, als er zum erstenmal an ihre Tür klopfte. Sie stand am Herd und hatte einen Topf am Feuer; die sie nicht wegkonnte, wies sie bloß höflich auf die Küchenbank, später erst wischte sie die Hand lächelnd an der Schürze ab und reichte sie den Besuchern; es war eine gut geformte Hand, so samten rauh wie feinstes Sandpapier oder rieselnde Gartenerde. Und das Gesicht, das zu ihr gehörte, war ein ein wenig spöttelndes Gesicht, mit einer feinen, graziösen Gratlinie, wenn man es von der Seite ansah, und einem Mund, der ihm sehr auffiel. Dieser Mund war geschwungen wie Kupidos Bogen, aber außerdem war er gepreßt, so wie wenn man Speichel schluckt, was ihm in all seiner Feinheit eine entschlossene Roheit, und dieser Roheit wieder einen kleinen Zug von Lustigkeit gab, was trefflich zu den Schuhen paßte, aus welchen das Figürchen herauswuchs wie aus wilden Wurzeln. – Es galt irgendein Geschäft zu besprechen, und als sie fortgingen, war wieder das Lächeln da, und die Hand ruhte vielleicht einen Augenblick länger in der seinen als beim Empfang. Diese Eindrücke, die in der Stadt so bedeutungslos wären, waren hier in der Einsamkeit Erschütterungen, nicht anders, als hätte ein Baum seine Äste bewegen wollen in einer Weise, die durch keinen Wind oder eben wegfliegenden Vogel zu erklären war.

Kurze Zeit danach war er der Geliebte einer Bauernfrau geworden; diese Veränderung, die mit ihm vorgegangen war, beschäftigte ihn sehr, denn ohne Zweifel war da nicht etwas durch ihn, sondern mit ihm geschehen. Als er das zweitemal gekommen war, hatte sich Grigia gleich zu ihm auf die Bank gesetzt, und als er ihr zur Probe, wie weit er schon gehen dürfe, die Hand auf den Schoß legte und ihr sagte, du bist hier die Schönste, ließ sie seine Hand auf ihrem

Schenkel ruhen, legte bloß ihre darauf, und damit waren sie versprochen. Nun küßte er sie auch zum Siegel, und ihre Lippen schnalzten danach, so wie sich Lippen befriedigt von einem Trinkgefäß lösen, dessen Rand sie gierig umfaßt hielten. Er erschrak sogar anfangs ein wenig über diese gemeine Weise und war gar nicht bös, als sie sein weiteres Vordringen abwehrte; er wußte nicht warum, er verstand hier überhaupt nichts von den Sitten und Gefahren und ließ sich neugierig auf ein andermal vertrösten. Beim Heu, hatte Grigia gesagt, und als er schon in der Tür stand und auf Wiedersehen sagte, sagte sie «auf's g'schwindige Wiederseh'n» und lächelte ihm zu.

Er war noch am Heimweg, da wurde er schon glücklich über das Geschehene; so wie ein heißes Getränk plötzlich nachher zu wirken beginnt. Der Einfall, zusammen in den Heustall zu gehn – man öffnet ein schweres hölzernes Tor, man zieht es zu, und bei jedem Grad, um den es sich in den Angeln dreht, wächst die Finsternis, bis man am Boden eines braunen, senkrecht stehenden Dunkels hockt – freute ihn wie eine kindliche List. Er dachte an die Küsse zurück und fühlte sie schnalzen, als hätte man ihm einen Zauberring um den Kopf gelegt. Er stellte sich das Kommende vor und mußte wieder an die Bauernart zu essen denken; sie kauen langsam, schmatzend, jeden Bissen würdigend, so tanzen sie auch, Schritt um Schritt, und wahrscheinlich ist alles andere ebenso; er wurde so steif in den Beinen vor Aufregung bei diesen Vorstellungen, als stäken seine Schuhe schon etwas im Boden. Die Frauen schließen die Augendekkel und machen ein ganz steifes Gesicht, eine Schutzmaske, damit man sie nicht durch Neugierde stört; sie lassen sich kaum ein Stöhnen entreißen, regungslos wie Käfer, die sich tot stellen, konzentrieren sie alle Aufmerksamkeit auf das, was mit ihnen vorgeht. Und so geschah es auch; Grigia scharrte mit der Kante der Sohle das bißchen Winterheu, das noch da war, zu einem Häuflein zusammen und lächelte zum letztenmal, als sie sich nach dem Saum ihres Rockes bückte wie eine Dame, die sich das Strumpfband richtet.

Das alles war genau so einfach und gerade so verzaubert wie die Pferde, die Kühe und das tote Schwein. Wenn sie hinter den Balken waren und außen polterten schwere Schuhe auf dem Steinweg heran, schlugen vorbei und verklangen, so pochte ihm das Blut bis in den Hals, aber Grigia schien schon am dritten Schritt zu erraten, ob die Schuhe herwollten oder nicht. Und sie hatte Zauberworte.

Die Nos, sagte sie etwa, und statt Bein der Schenken. Der Schurz war die Schürze. Tragt viel aus, bewunderte sie, und geliegen han i an bißl ins Bett eini, machte es unter verschlafenen Augen. Als er ihr einmal drohte, nicht mehr zu kommen, lachte sie: «I glock an bei Ihm!» und da wußte er nicht, ob er erschrak oder glücklich war, und das mußte sie bemerkt haben, denn sie fragte: «Reut's ihn? Viel reut's ihn?» Das waren so Worte wie die Muster der Schürzen und Tücher und die farbigen Borten oben am Strumpf, etwas angeglichen der Gegenwart schon durch die Weite der Wanderschaft, aber geheimnisvolle Gäste. Ihr Mund war voll von ihnen, und wenn er ihn küßte, wußte er nie, ob er dieses Weib liebte, oder ob ihm ein Wunder bewiesen werde, und Grigia nur der Teil einer Sendung war, die ihn mit seiner Geliebten in Ewigkeit weiter verknüpfte. Einmal sagte ihm Grigia geradezu: «Denken tut er was ganz andres, i seh's ihm eini», und als er eine Ausflucht gebrauchte, meinte sie nur, «ah, das is an extrige Süß». Er fragte sie, was das heißen solle, aber sie wollte nicht mit der Sprache heraus, und er mußte selbst erst lang nachdenken, bis er soviel aus ihr herausfragen konnte, um zu erraten, daß hier vor zweihundert Jahren auch französische Bergknappen gelebt hatten, und daß es einmal vielleicht excuse geheißen habe. Aber es konnte auch etwas Seltsameres sein.

Man mag das nun stark empfinden oder nicht. Man mag Grundsätze haben, dann ist es nur ein ästhetischer Scherz, den man eben mitnimmt. Oder man hat keine Grundsätze oder sie haben sich vielleicht eben etwas gelöst, wie es bei Homo der Fall war, als er reiste, dann kann es geschehen, daß diese fremden Lebenserscheinungen Besitz von dem ergreifen, was herrenlos geworden ist. Sie gaben ihm aber kein neues, von Glück ehrgeizig und erdfest gewordenes Ich, sondern sie siedelten nur so in zusammenhanglos schönen Flecken im Luftriß seines Körpers. Homo fühlte an irgend etwas, daß er bald sterben werde, er wußte bloß noch nicht, wie oder wann. Sein altes Leben war kraftlos geworden; es wurde wie ein Schmetterling, der gegen den Herbst zu immer schwächer wird.

Er sprach manchmal mit Grigia davon; sie hatte eine eigene Art, sich danach zu erkundigen: so voll Respekt wie nach etwas, das ihr anvertraut war, und ganz ohne Selbstsucht. Sie schien es in Ordnung zu finden, daß es hinter ihren Bergen Menschen gab, die er mehr liebte als sie, die er mit ganzer Seele liebte. Und er fühlte diese Liebe nicht schwächer werden, sie wurde stärker und neuer; sie wurde nicht blasser, aber sie verlor, je tiefer sie sich färbte, desto mehr die Fähigkeit, ihn in der Wirklichkeit zu etwas zu bestimmen oder an etwas zu hindern. Sie war in jener wundersamen Weise schwerlos und von allem Irdischen frei, die nur der kennt, welcher mit dem Leben abschließen mußte und seinen Tod erwarten darf; war er vordem noch so gesund, es ging damals ein Aufrichten durch ihn wie durch einen Lahmen, der plötzlich seine Krücken fortwirft und wandelt.

Das wurde am stärksten, als die Heuernte kam. Das Heu war schon gemäht und getrocknet, mußte nur noch gebunden und die Bergwiesen hinaufgeschafft werden. Homo sah von der nächsten Anhöhe aus zu, die wie ein Schaukelschwung hoch und weit davon losgehoben war. Das Mädel formt – ganz allein auf der Wiese, ein gesprenkeltes Püppchen unter der ungeheuren Glasglocke des Himmels – auf jede nur erdenkliche Weise ein riesiges Bündel. Kniet sich hinein und zieht mit beiden Armen das Heu an sich. Legt sich, sehr sinnlich, auf den Bauch über den Ballen und greift vor sich an ihm hinunter. Legt sich ganz auf die Seite und langt nur mit einem Arm, soweit man ihn strecken kann. Kriecht mit einem Knie, mit beiden Knien hinauf. Homo fühlt, es hat etwas vom Pillendreher, jenem Käfer. Endlich schiebt sie ihren ganzen Körper unter das mit einem Strick umschlungene Bündel und hebt sich mit ihm langsam hoch. Das Bündel ist viel größer als das bunte schlanke Menschlein, das es trägt – oder war das nicht Grigia?

Wenn Homo, um sie zu suchen, oben die lange Reihe von Heuhaufen entlang ging, welche die Bäuerinnen auf der ebenen Stufe des Hangs errichtet hatten, ruhten sie gerade; da konnte er sich kaum fassen, denn sie lagen auf ihren Heuhügeln wie Michel Angelos Statuen in der Mediceerkapelle zu Florenz, einen Arm mit dem Kopf aufgestützt und den Leib wie in einer Strömung ruhend. Und als sie mit ihm sprachen und ausspucken mußten, taten sie es sehr künstlich; sie zupften mit drei Fingern ein Büschel Heu heraus, spuckten in den Trichter und stopften das Heu wieder darüber: das konnte zum Lachen reizen: bloß wenn man zu ihnen gehörte, wie Homo, der Grigia suchte, mochte man auch plötzlich erschrecken über diese rohe Würde. Aber Grigia war selten dabei, und wenn er sie endlich fand, hockte sie in einem Kartoffelacker und lachte ihn an. Er wußte, sie hat nichts als zwei Röcke an, die trockene Erde, die durch ihre schlanken, rauhen Finger rann, berührte ihren Leib.

Aber die Vorstellung hatte nichts Ungewöhnliches mehr für ihn, sein Inneres hatte sich schon seltsam damit vertraut gemacht, wie Erde berührt, und vielleicht traf er sie in diesem Acker auch gar nicht zur Zeit der Heuernte, es lebte sich alles so durcheinander.

Die Heuställe hatten sich gefüllt. Durch die Fugen zwischen den Balken strömt silbernes Licht ein. Das Heu strömt grünes Licht aus. Unter dem Tor liegt eine dicke goldene Borte.

Das Heu roch säuerlich. Wie die Negergetränke, die aus dem Teig von Früchten und menschlichem Speichel entstehn. Man brauchte sich nur zu erinnern, daß man hier unter Wilden lebte, so entstand schon ein Rausch in der Hitze des engen, von gärendem Heu hochgefüllten Raums.

Das Heu trägt in allen Lagen. Man steht darin bis an die Waden, unsicher zugleich und überfest gehalten. Man liegt darin wie in Gottes Hand, möchte sich in Gottes Hand wälzen wie ein Hündchen oder ein Schweinchen. Man liegt schräg, und fast senkrecht wie ein Heiliger, der in einer grünen Wolke zum Himmel fährt.

Das waren Hochzeitstage und Himmelfahrtstage.

Aber einmal erklärte Grigia: es geht nicht mehr. Er konnte sie nicht dazu bringen, daß sie sagte, warum. Die Schärfe um den Mund und die lotrechte kleine Falte zwischen den Augen, die sie sonst nur für die Frage anstrengte, in welchem Stadel ein nächstesmal das schönste Zusammenkommen sei, deutete schlecht Wetter an, das irgendwo in der Nähe stand. Waren sie ins Gerede gekommen? Aber die Gevatterinnen, die ja vielleicht etwas merkten, waren alle immer so lächelnd wie bei einer Sache, der man gern zusieht. Aus Grigia war nichts herauszubekommen. Sie gebrauchte Ausreden, sie war seltener zu treffen; aber sie hütete ihre Worte wie ein mißtrauischer Bauer.

Einmal hatte Homo ein böses Zeichen. Die Gamaschen waren ihm aufgegangen, er stand an einem Zaun und wickelte sie neu, als eine vorbeigehende Bäurin ihm freundlich sagte: «Laß er die Strümpf doch unten, es wird ja bald Nacht.» Das war in der Nähe von Grigias Hof. Als er es Grigia erzählte, machte sie ein hochmütiges Gesicht und sagte: «Die Leute reden, und den Bach rinnen, muß man lassen»; aber sie schluckte Speichel und war mit den Gedanken anderswo. Da erinnerte er sich plötzlich einer sonderbaren Bäurin, die einen Schädel wie eine Aztekin hatte und immer vor ihrer Tür saß, das schwarze Haar, das ihr etwas über die Schultern reichte, aufgelöst, und von drei pausbäckigen gesunden Kindern umgeben. Grigia und er kamen alle Tage achtlos vorbei, es war die einzige Bäurin, die er nicht kannte, und merkwürdigerweise hatte er auch noch nie nach ihr gefragt, obgleich ihm ihr Aussehn auffiel; es war fast, als hätten sich stets das gesunde Leben ihrer Kinder und das gestörte ihres Gesichts gegenseitig als Eindrücke zu Null aufgehoben. Wie er jetzt war, schien es ihm plötzlich gewiß zu sein, daß nur von daher das Beunruhigende gekommen sein könne. Er fragte, wer sie sei, aber Grigia zuckte bös die Achseln und stieß nur hervor: «Die weiß nit, was sie sagt! Ein Wort hie, ein Wort über die Berge!» Das begleitete sie mit einer heftigen Bewegung der Hand an der Stirn vorbei, als müßte sie das Zeugnis dieser Person gleich entwerten.

Da Grigia nicht zu bewegen war, wieder in einen der um das Dorf liegenden Heuställe zu kommen, schlug ihr Homo vor, mit ihm höher ins Gebirge hinauf zu gehn. Sie wollte nicht, und als sie schließlich nachgab, sagte sie mit einer Betonung, die Homo hinterdrein zweideutig vorkam, «Guat; wenn man weg müass'n gehn.» Es war ein schöner Morgen, der noch einmal alles umspannte; weit draußen lag das Meer der Wolken und der Menschen. Grigia wich ängstlich allen Hütten aus, und auf freiem Felde zeigte sie – die sonst stets von einer reizenden Unbekümmertheit in allen Dispositionen ihrer Liebesstrategie gewesen war – Besorgtheit vor scharfen Augen. Da wurde er ungeduldig und erinnerte sich, daß sie eben an einem alten Stollen vorbeigekommen waren, dessen Betrieb auch von seinen eigenen Leuten bald wieder aufgegeben worden war. Er trieb Grigia hinein. Als er sich zum letztenmal umwandte, lag auf einer Bergspitze Schnee, darunter war golden in der Sonne ein kleines Feld mit gebundenen Ähren, und über beiden der weißblaue Himmel. Grigia machte wieder eine Bemerkung, die wie eine Anzüglichkeit war, sie hatte seinen Blick bemerkt und sagte zärtlich: «Das Blaue am Himmel lassen wir lieben hübsch oben, damit es schön bleibt»; was sie damit eigentlich meinte, vergaß er aber zu fragen, denn sie tasteten nun mit großer Vorsicht in ein immer enger werdendes Dunkel hinein. Grigia ging voraus, und als nach einer Weile sich der Stollen zu einer kleinen Kammer erweitete, machten sie halt und umarmten einander. Der Boden unter ihren Füßen machte einen guten trockenen Eindruck, sie legten sich nieder, ohne daß Homo das Zivilisationsbedürfnis empfunden hätte, ihn mit dem

Licht eines Streichholzes zu untersuchen. Noch einmal rann Grigia wie weich trockene Erde durch ihn, fühlte er sie im Dunkel erstarren und steif von Genuß werden, dann lagen sie nebeneinander und blickten, ohne sprechen zu wollen, nach dem kleinen fernen Viereck, vor dem weiß der Tag strahlte. In Homo wiederholte sich da sein Aufstieg hieher, er sah sich mit Grigia hinter dem Dorf zusammenkommen, dann steigen, wenden und steigen, er sah ihre blauen Strümpfe bis zu dem orangenen Saum unterm Knie, ihren wiegenden Gang auf den lustigen Schuhen, er sah sie vor dem Stollen stehen bleiben, sah die Landschaft mit dem kleinen goldenen Feld, und mit einemmal gewahrte er in der Helle des Eingangs das Bild ihres Mannes.

Er hatte noch nie an diesen Menschen gedacht, der bei den Arbeiten verwendet wurde; jetzt sah er das scharfe Wilddiebsgesicht mit den dunklen jägerlistigen Augen und erinnerte sich auch plötzlich an das einzigemal, wo er ihn sprechen gehört hatte; es war nach dem Einkriechen in einen alten Stollen, das kein anderer gewagt hatte, und es waren die Worte: «I bin von an Spektakl in andern kemma; das Zruckkemma is halt schwer.» Homo griff rasch nach seiner Pistole, aber im gleichen Augenblick war Lene Maria Lenzis Mann verschwunden, und das Dunkel ringsum war so dick wie eine Mauer. Er tastete sich zum Ausgang, Grigia hing an seinen Kleidern. Aber er überzeugte sich sofort, daß der Fels, der davor gerollt worden war, weit schwerer wog, als seine Kraft, ihn zu bewegen, reichte; er wußte nun auch, warum ihnen der Mann so viel Zeit gelassen hatte, er brauchte sie selbst, um seinen Plan zu fassen und einen Baumstamm als Hebel zu holen.

Grigia lag vor dem Stein auf den Knien und bettelte und tobte; es war widerwärtig und vergebens. Sie schwur, daß sie nie etwas Unrechtes getan habe und nie wieder etwas Unrechtes tun wolle, sie zeterte sogleich wie ein Schwein und rannte sinnlos gegen den Fels wie ein scheues Pferd. Homo fühlte schließlich, daß es so ganz in der Ordnung der Natur sei, aber er, der gebildete Mensch, vermochte anfangs gar nichts gegen seine Ungläubigkeit zu tun, daß wirklich etwas Unwiderrufliches geschehen sein sollte. Er lehnte an der Wand und hörte Grigia zu, die Hände in den Taschen. Später erkannte er sein Schicksal; traumhaft fühlte er es noch einmal auf ihn herabsinken, tage-, wochen- und monatelang, wie eben ein Schlaf anheben muß, der sehr lang dauert. Er legte sanft den Arm um

Grigia und zog sie zurück. Er legte sich neben sie und erwartete etwas. Früher hätte er wohl vielleicht gedacht, die Liebe müßte in solchem unentrinnbaren Gefängnis scharf wie Bisse sein, aber er vergaß überhaupt an Grigia zu denken. Sie war ihm entrückt oder er ihr, wenn er auch noch ihre Schulter spürte; sein ganzes Leben war ihm gerade so weit entrückt, daß er es noch da wußte, aber nimmer die Hand darauf legen konnte. Sie regten sich stundenlang nicht. Tage mochten vergangen sein und Nächte, Hunger und Durst lagen hinter ihnen, wie ein erregtes Stück Wegs, sie wurden immer schwächer, leichter und verschlossener; sie dämmerten weite Meere und wachten kleine Inseln. Einmal fuhr er ganz grell in so ein kleines Wachen auf: Grigia war fort; eine Gewißheit sagte ihm, daß es eben erst geschehen sein mußte. Er lächelte; hat ihm nichts gesagt von dem Ausweg; wollte ihn zurücklassen, zum Beweis für ihren Mann . . .! Er stützte sich auf und sah um sich; da entdeckte auch er einen schwachen, schmalen Schimmer. Er kroch ein wenig näher, tiefer in den Stollen hinein – sie hatten immer nach der andern Seite gesehen. Da erkannte er einen schmalen Spalt, der wahrscheinlich seitwärts ins Freie führte. Grigia hatte feine Glieder, aber auch er, mit großer Gewalt, müßte sich da vielleicht durchzwängen können. Es war ein Ausweg. Aber er war in diesem Augenblick vielleicht schon zu schwach, um ins Leben zurückzukehren, wollte nicht oder war ohnmächtig geworden.

Zur gleichen Stunde gab, da man die Erfolglosigkeit aller Anstrengungen und die Vergeblichkeit des Unternehmens einsah, Mozart Amadeo Hoffingott unten die Befehle zum Abbruch der Arbeit.

# Die Portugiesin

Sie hießen in manchen Urkunden delle Catene und in andern Herren von Ketten; sie waren aus dem Norden gekommen und hatten vor der Schwelle des Südens halt gemacht; sie gebrauchten ihre deutsche oder welsche Zugehörigkeit, wie es der Vorteil gebot, und fühlten sich nirgends hingehören als zu sich.

Seitlich des großen, über den Brenner nach Italien führenden Wegs, zwischen Brixen und Trient, lag auf einer fast freistehenden lotrechten Wand ihre Burg; fünfhundert Fuß unter ihr tollte ein wilder kleiner Fluß so laut, daß man eine Kirchenglocke im selben Raum nicht gehört hätte, sobald man den Kopf aus dem Fenster bog. Kein Schall der Welt drang von außen in das Schloß der Catene, durch diese davorhängende Matte wilden Lärms hindurch; aber das gegen das Toben sich stemmende Auge fuhr ohne Hindernis durch diesen Widerstand und taumelte überrascht in die tiefe Rundheit des Ausblicks.

Als scharf und aufmerksam galten alle Herren von Ketten, und kein Vorteil entging ihnen in weitem Umkreis. Und bös wie Messer waren sie, die gleich tief schneiden. Sie wurden nie rot vor Zorn oder rosig vor Freude, sondern sie wurden dunkel im Zorn und in der Freude strahlten sie wie Gold, so schön und so selten. Sie sollen einander alle, wer immer sie im Lauf der Jahre und Jahrhunderte waren, auch noch darin geglichen haben, daß sie früh weiße Fäden in ihr braunes Haupt- und Barthaar bekamen und vor dem sechzigsten Jahr starben; auch darin, daß in ihren mittelgroßen, schlanken Körpern die ungeheure Kraft, die sie manchmal zeigten, gar nicht Platz und Ursprung zu haben, sondern aus ihren Augen und Stirnen zu kommen schien, doch war dies Gerede von eingeschüchterten Nachbarn und Knechten. Sie nahmen, was sie an sich bringen konnten, und gingen dabei redlich oder gewaltsam oder listig zu Werk, je wie es kam, aber stets ruhig und unabwendbar; ihr kurzes Leben war ohne Hast und endete rasch, ohne nachzulassen, wenn sie ihr Teil erfüllt hatten.

Es war Sitte im Geschlecht der Ketten, daß sie sich mit dem in ihrer Nähe ansässigen Adel nicht versippten; sie holten ihre Frauen von weit her und holten reiche Frauen, um durch nichts in der Wahl ihrer Bündnisse und Feindschaften beschränkt zu sein. Der Herr von Ketten, welcher die schöne Portugiesin vor zwölf Jahren geheiratet hatte, stand damals in seinem dreißigsten Jahr. Die Hochzeit fand in der Fremde statt, und die sehr junge Frau sah ihrer Niederkunft entgegen, als der schellenklingelnde Zug der Gefolgsleute und Knechte, Pferde, Dienerinnen, Saumtiere und Hunde die Grenze des Gebiets der Catene überschritt; die Zeit war wie ein einjähriger Hochzeitsflug vergangen. Denn alle Ketten waren glänzende Kavaliere, bloß zeigten sie es nur in dem einen Jahr ihres Lebens, wo sie freiten; ihre Frauen waren schön, weil sie schöne Söhne wollten, und es wäre ihnen anders nicht möglich gewesen, in der Fremde, wo sie nicht so viel galten wie daheim, solche Frauen zu gewinnen; sie wußten aber selbst nicht, zeigten sie sich in diesem einen Jahr so, wie sie wirklich waren, oder in all den andren. Ein Bote mit wichtiger Nachricht kam den Nahenden entgegen: noch waren die farbigen Gewänder und Federwimpel des Zugs wie ein großer Schmetterling, aber der Herr von Ketten hatte sich verändert. Er ritt, als er sie wieder eingeholt hatte, langsam neben seiner Frau weiter, als wollte er Eile für sich nicht gelten lassen, aber sein Gesicht war fremd geworden wie eine Wolkenwand. Als bei einer Biegung des Wegs plötzlich das Schloß vor ihnen auftauchte, nur noch eine Viertelstunde entfernt, brach er mit Anstrengung das Schweigen.

Er wollte, daß seine Frau umkehre und zurückreise. Der Zug hielt an. Die Portugiesin bat und bestand darauf, daß sie weiterritten; umzukehren war auch Zeit, nachdem man die Gründe gehört hatte.

Die Bischöfe von Trient waren mächtige Herren, und das Reichsgericht sprach ihnen zu Munde: seit des Urgroßvaters Zeit lagen die Ketten mit ihnen in Streit wegen Stücken Lands, und bald war es ein Rechtsstreit gewesen, bald waren aus Forderung und Widerstand blutige Schlägereien erwachsen, aber jedesmal waren es die Herren von Ketten gewesen, die der Überlegenheit des Gegners nachgeben mußten. Der Blick, dem sonst kein Vorteil entging, wartete hier vergeblich, ihn zu gewahren; aber der Vater überlieferte die Aufgabe dem Sohn, und ihr Stolz wartete in der Geschlechterfolge, ohne weich zu werden, weiter.

Es war dieser Herr von Ketten, dem sich der Vorteil darbot. Er erschrak darüber, daß er ihn beinahe versäumt hätte. Eine mächtige Partei im Adel lehnte sich gegen den Bischof auf, es war beschlossen worden, ihn zu überfallen und gefangen zu nehmen, und der Ketten, als man vernommen hatte, daß er wiederkam, sollte ein Trumpf im Spiel sein. Ketten, seit Jahr und Tag abwesend, wußte nicht, wie es um die bischöfliche Kraft stand; aber das wußte er, daß es eine böse, jahrelange Probe von unsicherem Ausgang sein würde, und daß man sich nicht auf jeden bis zum bitteren Ende würde verlassen können, wenn es nicht gelang, Trient gleich anfangs zu überrumpeln. Er grollte seiner schönen Frau, weil sie ihn beinahe die Gelegenheit hatte verspielen lassen. So sehr gefiel sie ihm, der um einen Pferdehals zurück neben ihr ritt, wie immer; auch war sie ihm noch so geheimnisvoll wie die vielen Perlenketten, die sie besaß. Wie Erbsen hätte man solche Dinger zerdrücken können, wenn man sie in der hohlen, sehnengeflochtenen Hand wog, dachte er neben ihr reitend, aber sie lagen so unbegreiflich sicher darin. Nur war dieser Zauber von der neuen Nachricht beiseite geräumt worden wie die Mummenträume des Winters, wenn die knäbisch nackten ersten sonnenharten Tage wieder da sind. Gesattelte Jahre lagen voraus, in denen Weib und Kind fremd verschwanden.

Aber die Pferde waren inzwischen an den Fuß der Wand gelangt, worauf die Burg stand, und die Portugiesin, als sie alles angehört hatte, erklärte noch einmal, daß sie bleiben wolle. Wild stieg das Schloß auf. Da und dort saßen an der Felsbrust verkümmerte Bäumchen wie einzelne Haare. Die Waldberge stürzten so auf und nieder, daß man diese Häßlichkeit einem, der nur die Meereswellen kannte, gar nicht hätte zu beschreiben vermögen. Voll kaltgewordener Würze war die Luft, und alles war so, als ritte man in einen großen zerborstenen Topf hinein, der eine fremde grüne Farbe enthielt. Aber in den Wäldern gab es den Hirsch, Bären, das Wildschwein, den Wolf und vielleicht das Einhorn. Weiter hinten hausten Steinböcke und Adler. Unergründete Schluchten boten den Drachen Aufenthalt. Wochenweit und -tief war der Wald, durch den nur die Wildfährten führten, und oben, wo das Gebirge ihm aufsaß, begann das Reich der Geister. Dämonen hausten dort mit dem Sturm und den Wolken; nie führte eines Christen Weg hinauf, und wann es aus Fürwitz geschehen war, hatte es Widerfahrnisse zur Folge, von denen die Mägde in den Winterstuben mit leiser Stimme berichteten, während die Knechte geschmeichelt schwiegen und die Schultern hochzogen, weil das Männerleben gefährlich ist und solche Abenteuer einem darin zustoßen können. Von allem, was sie gehört hatte, erschien es aber der Portugiesin als das Seltsamste: So wie noch keiner den Fuß des Regenbogens erreicht hat, sollte es auch noch nie einem gelungen sein, über die großen Steinmauern zu schaun; immer waren neue Mauern dahinter; Mulden waren dazwischen gespannt wie Tücher voll Steinen, Sterne so groß wie ein Haus, und noch der feinste Schotter unter den Füßen nicht kleiner als ein Kopf; es war eine Welt, die eigentlich keine Welt war. Oft hatte sie sich in Träumen dieses Land, aus dem der Mann kam, den sie liebte, nach seinem eigenen Wesen vorgestellt und das Wesen dieses Mannes nach dem, was er ihr von seiner Heimat erzählte. Müde des pfaublauen Meers, hatte sie sich ein Land erwartet, das voll Unerwartetem war wie die Sehne eines gespannten Bogens; aber da sie das Geheimnis sah, fand sie es über alles Erwarten häßlich und mochte fliehn. Wie aus Hühnerställen zusammengefügt war die Burg. Stein auf Fels getürmt. Schwindelnde Wände, an denen der Moder wuchs. Morsches Holz oder rohfeuchte Stämme. Bauern- und Kriegsgerät, Stallketten und Wagenbäume. Aber da sie nun hier war, gehörte sie her, und vielleicht war das, was sie sah, gar nicht häßlich, sondern eine Schönheit wie die Sitten von Männern, an die man sich erst gewöhnen mußte.

Als der Herr von Ketten seine Frau den Berg hinaufreiten sah, mochte er sie nicht anhalten. Er dankte es ihr nicht, aber es war etwas, das weder seinen Willen überwand, noch ihm nachgab, sondern ausweichend ihn anderswohin lockte und ihn unbeholfen schweigend hinter ihr dreinreiten machte wie eine arme verlorene Seele.

Zwei Tage später saß er wieder im Sattel.

Und elf Jahre später tat er es noch. Der Handstreich gegen Trient, leichtfertig vorbereitet, war mißlungen, hatte der Rittermacht gleich im Anfang über ein Drittel ihres Gefolges gekostet und mehr als die Hälfte ihres Wagemuts. Der Herr von Ketten, am Rückzug verwundet, kehrte nicht gleich nach Hause zurück; zwei Tage lang lag er in einer Bauernhütte verborgen, dann ritt er auf die Schlösser und fachte den Widerstand an. Zu spät gekommen zur Vorberatung und Bereitung des Unternehmens, hing er nach dem Fehlschlag daran wie der Hund am Ohr des Bullen. Er stellte den Herrn vor, was ihrer wartete, wenn die bischöfliche Macht zum Gegenschlag kam, ehe ihre Reihen wieder geschlossen seien, trieb Säumige und Knausernde an, preßte Geld aus ihnen, zog Verstärkungen herbei, rüstete und ward zum Feldhauptmann des Adels gewählt. Seine

Wunden bluteten anfangs noch so, daß er täglich zweimal die Tücher wechseln mußte; er wußte nicht, während er ritt und umsprach und für jede Woche, um die er zu spät zur Stelle gewesen war, einen Tag fernblieb, ob er dabei an die zauberhafte Portugiesin dachte, die sich ängsten mußte.

Fünf Tage nach der Kunde von seiner Verwundung kam er erst zu ihr und blieb bloß einen Tag. Sie sah ihn an, ohne zu fragen, prüfend, wie man dem Flug eines Pfeils folgt, ob er treffen wird.

Er zog seine Leute herbei bis zum letzten erreichbaren Knaben, ließ die Burg in Verteidigungszustand setzen, ordnete und befahl. Knechtlärm, Pferdegewieher, Balkentragen, Eisen- und Steinklang war dieser Tag. In der Nacht ritt er weiter. Er war freundlich und zärtlich wie zu einem edlen Geschöpf, das man bewundert, aber sein Blick ging so gradaus wie aus einem Helm hervor, auch wenn er keinen trug. Als der Abschied kam, bat die Portugiesin, plötzlich von Weiblichkeit überwältigt, wenigstens jetzt seine Wunde waschen und ihr frischen Verband auflegen zu dürfen, aber er ließ es nicht zu; eiliger, als es nötig war, nahm er Abschied, lachte beim Abschied, und da lachte sie auch.

Die Art, wie der Gegner den Streit auskämpfte, war gewaltsam, wo sie es sein konnte, wie es dem harten, adeligen Mann entsprach, der das Bischofsgewand trug, aber sie war auch, wie es dieses frauenhafte Gewand ihn gelehrt haben mochte, nachgiebig, hinterhältig und zäh. Reichtum und ausgedehnter Besitz entfalteten langsam ihre Wirkung in stufenweisen, bis zum letzten Augenblick hinaus verzögerten Opfern, wenn Stellung und Einfluß nicht mehr ausreichten, um sich Helfer zu verbünden. Entscheidungen wich diese Kampfweise aus. Rollte sich ein, sobald sich der Widerstand zuspitzte; stieß nach, wo sie sein Erschlaffen erriet. So kam es, daß manchmal eine Burg berannt wurde, und wenn sie nicht rechtzeitig entsetzt werden konnte, unter blutigem Hinmorden fiel, manchmal aber auch durch Wochen Heerhaufen in den Ortschaften lagerten und nichts geschah, als daß den Bauern eine Kuh weggetrieben oder ein paar Hühner abgestochen wurden. Aus Wochen wurde Sommer und Winter, und aus Jahreszeiten wurden Jahre. Zwei Kräfte rangen miteinander, die eine wild und angriffslustig, aber zu schwach, die andre wie ein träger, weicher, aber grausam schwerer Körper, dem auch noch die Zeit ihr Gewicht lieh.

Der Herr von Ketten wußte das wohl. Er hatte Mühe, die verdrossene und geschwächte Ritterschaft davon abzuhalten, in einem plötzlich beschlossenen Angriff ihre letzte Kraft auszugeben. Er lauerte auf die Blöße, die Wendung, das Unwahrscheinliche, das nur noch der Zufall bringen konnte. Sein Vater hatte gewartet und sein Großvater. Und wenn man sehr lange wartet, kann auch das geschehn, was selten geschieht. Er wartete elf Jahre. Er ritt elf Jahre lang zwischen den Adelssitzen und den Kampfhaufen hin und her, um den Widerstand wach zu halten, erwarb in hundert Scharmützeln immer von neuem den Ruf verwegener Tapferkeit, um den Vorwurf zaghafter Kriegsführung von sich fern zu halten, ließ es zeitweilig auch zu großen blutigen Treffen kommen, um den Zornmut der Genossen anzufachen, aber auch er wich ebenso gut wie der Bischof einer Entscheidung aus. Er wurde oftmals leicht verwundet, aber er war nie länger als zweimal zwölf Stunden zuhause. Schrammen und das umherziehende Leben bedeckten ihn mit ihrer Kruste. Er fürchtete sich wohl, länger zuhause zu bleiben, wie sich ein Müder nicht setzen darf. Unruhige angehalfterte Pferde, Männerlachen, Fackellicht, die Säule eines Lagerfeuers wie ein Stamm aus Goldstaub zwischen grün aufschimmernden Waldbäumen, Regengeruch, Flüche, aufschneidende Ritter, Hunde, an Verwundeten schnuppernd, gehobene Weiberröcke und verschreckte Bauern waren seine Zerstreuung in diesen Jahren. Er blieb mitten drin schlank und fein. In sein braunes Haar begannen sich weiße Haare zu schleichen, sein Gesicht kannte kein Alter. Er mußte grobe Scherze erwidern und tat es wie ein Mann, aber seine Augen bewegten sich wenig dabei. Er wußte dreinzufahren wie ein Ochsenknecht, wo sich die Mannszucht lockerte; aber er schrie nicht, sein Wort war leis und kurz, die Soldaten fürchteten ihn, nie schien der Zorn ihn selbst zu ergreifen, aber er strahlte von ihm aus, und sein Gesicht wurde dunkel. Im Gefecht vergaß er sich; da ging alles diesen Weg gewaltiger, Wunden schlagender Gebärden aus ihm heraus, er wurde tanztrunken, bluttrunken, wußte nicht, was er tat, und tat immer das Rechte. Die Soldaten vergötterten ihn deshalb; es begann sich die Legende zu bilden, daß er sich aus Haß gegen den Bischof dem Teufel verschrieben habe und ihn heimlich besuche, der in Gestalt einer schönen fremden Frau auf seiner Burg weilte.

Der Herr von Ketten, als er das zum erstenmal hörte, wurde nicht unwillig, noch lachte er, aber er wurde ganz dunkelgolden vor Freude. Oft, wenn er am Lagerfeuer saß oder an einem offenen

Bauernherd, und der durchstreifte Tag, so wie regensteifes Leder wieder weich wird, in der Wärme zerging, dachte er. Er dachte dann an den Bischof in Trient, der auf reinem Linnen lag, von gelehrten Klerikern umgeben, Maler in seinem Dienst, während er wie ein Wolf ihn umkreiste. Auch er konnte das haben. Einen Kaplan hatte er auf der Burg bestallt, damit für Unterhaltung des Geistes gesorgt sei, einen Schreiber zum Vorlesen, eine lustige Zofe; ein Koch wurde weither geholt, um von der Küche das Heimweh zu bannen, reisende Doktoren und Schüler fing man auf, um an ihrem Gespräch einige Tage der Zerstreuung zu gewinnen, kostbare Teppiche und Stoffe kamen, um mit ihnen die Wände zu bedecken; nur er hielt sich fern. Ein Jahr lang hatte er tolle Worte gesprochen, in der Fremde und auf der Reise, Spiel und Schmeichelei, – denn so wie jedes wohlgebaute Ding Geist hat, sei es Stahl oder starker Wein, ein Pferd oder ein Brunnenstrahl, hatten ihn auch die Catene; – aber seine Heimat lag damals fern, sein wahres Wesen war etwas, auf das man wochenlang zureiten konnte, ohne es zu erreichen. Auch jetzt sprach er noch zuweilen unüberlegte Worte, aber nur so lang, als die Pferde im Stall ruhten; er kam nachts und ritt am Morgen fort oder blieb vom Morgenläuten bis zum Ave. Er war vertraut wie ein Ding, das man schon lang an sich trägt. Wenn du lachst, lacht es auch hin und her, wenn du gehst, geht es mit, wenn deine Hand dich betastet, fühlst du es: aber wenn du es einmal hochhebst und ansiehst, schweigt es und sieht weg. Wäre er einmal länger geblieben, hätte er in Wahrheit sein müssen, wie er war. Aber er erinnerte sich, niemals gesagt zu haben, ich bin dies oder ich will jenes sein, sondern er hatte ihr von Jagd, Abenteuern und Dingen, die er tat, erzählt; und auch sie hatte nie, wie junge Menschen es sonst wohl zu tun pflegen, ihn gefragt, wie er über dies und jenes denke, oder davon gesprochen, wie sie sein möchte, wenn sie älter sei, sondern sie hatte sich schweigend geöffnet wie eine Rose, so lebhaft sie vordem gewesen war, und stand schon auf der Kirchentreppe reisefertig, wie auf einen Stein gestiegen, von dem man sich aufs Pferd schwingt, um zu jenem Leben zu reiten. Er kannte seine zwei Kinder kaum, die sie ihm geboren hatte, aber auch diese beiden Söhne liebten schon leidenschaftlich den fernen Vater, von dessen Ruhm ihre kleinen Ohren voll waren, seit sie hörten. Seltsam war die Erinnerung an den Abend, dem der zweite sein Leben dankte. Da war, als er kam, ein weiches hellgraues Kleid mit dunkelgrauen Blumen, der schwarze Zopf war zur Nacht geflochten, und die schöne Nase sprang scharf in das glatte Gelb eines beleuchteten Buchs mit geheimnisvollen Zeichnungen. Es war wie Zauberei. Ruhig saß, in ihrem reichen Gewand, mit dem Rock, der in unzähligen Faltenbächen herabfloß, die Gestalt, nur aus sich heraussteigend und in sich fallend; wie ein Brunnenstrahl; und kann ein Brunnenstrahl erlöst werden, außer durch Zauberei oder ein Wunder, und aus seinem sich selbst tragenden, schwankenden Dasein ganz heraustreten? Man mochte das Weib umarmen und plötzlich gegen den Schlag eines magischen Widerstands stoßen; es geschah nicht so; aber ist Zärtlichkeit nicht noch unheimlicher? Sie sah ihn an, der leise eingetreten war, wie man einen Mantel wiedererkennt, den man lang an sich getragen und lang nicht mehr gesehen hat, der etwas fremd bleibt und in den man hineinschlüpft.

Traulich erschienen ihm dagegen Kriegslist, politische Lüge, Zorn und Töten! Tat geschieht, weil andre Tat geschehn ist; der Bischof rechnet mit seinen Goldstücken, und der Feldhauptmann mit der Widerstandskraft des Adels; Befehlen ist klar; taghell, dingfest ist dieses Leben, der Stoß eines Speers unter den verschobenen Eisenkragen ist so einfach, wie wenn man mit dem Finger weist und sagen kann, das ist dies. Das andre aber ist fremd wie der Mond. Der Herr von Ketten liebte dieses andere heimlich. Er hatte keine Freude an Ordnung, Hausstand und wachsendem Reichtum. Und ob er gleich um fremdes Gut jahrelang stritt, sein Begehren griff nicht nach Frieden des Gewinns, sondern sehnte sich aus der Seele hinaus; in den Stirnen saß die Gewalt der Catene, bloß kamen stumme Taten aus den Stirnen. Wenn er morgens in den Sattel stieg, fühlte er jedesmal noch das Glück, nicht nachzugeben, die Seele seiner Seele; aber wenn er abends absaß, senkte sich nicht selten der mürrische Stumpfsinn alles durchlebten Übermaßes auf ihn, als hätte er einen Tag lang alle seine Kräfte angestrengt, um nicht ohne alle Anstrengung etwas Schönes zu sein, das er nicht nennen konnte. Der Bischof, der Schleicher, konnte zu Gott beten, wenn Ketten ihn bedrängte; Ketten konnte nur über blühende Saaten reiten, die widerspenstige Woge des Pferds unter sich leben fühlen, Freundlichkeit mit Eisentritten herbeizaubern. Aber es tat ihm wohl, daß es dies gab. Daß man leben kann und sterben machen ohne das andre. Es leugnete und vertrieb etwas, das sich zum Feuer schlich, wenn man hineinstarrte, und fort war, so wie man sich, steif vom

Träumen, aufrichtete und herumdrehte. Der Herr von Ketten spann zuweilen lange verschlungene Fäden, wenn er an den Bischof dachte, dem er das alles antat, und ihm war, als könnte nur ein Wunder es ordnen.

Seine Frau nahm den alten Knecht, welcher der Burg vorstand, und streifte mit ihm durch die Wälder, wenn sie nicht vor den Bildern in ihren Büchern saß. Wald öffnet sich, aber seine Seele weicht zurück; sie brach durch Holz, kletterte über Steine, sah Fährten und Tiere, aber sie brachte nicht mehr heim als diese kleinen Schrecknisse, überwundenen Schwierigkeiten und befriedigten Neugierden, die alle Spannung verloren, wenn man sie aus dem Wald heraustrug, und eben jenes grüne Spiegelbild, das sie schon nach den Erzählungen gekannt hatte, bevor sie ins Land gekommen war; sobald man nicht darauf eindrang, schloß es sich hinter dem Rücken wieder zusammen. Lässig gut hielt sie indessen Ordnung am Schloß. Ihre Söhne, von denen keiner das Meer gesehen hatte, waren das ihre Kinder? Junge Wölfe, schien ihr zuweilen, waren es. Einmal brachte man ihr einen jungen Wolf aus dem Wald. Auch ihn zog sie auf. Zwischen ihm und den großen Hunden herrschte unbehagliche Duldung, Gewährenlassen ohne Austausch von Zeichen. Wenn er über den Hof ging, standen sie auf und sahn zu ihm herüber, aber sie bellten und knurrten nicht. Und er sah gradaus, wenn er auch hinüberschielte, und ging kaum ein wenig langsamer und steifer seines Wegs, um es sich nicht merken zu lassen. Er folgte überallhin der Herrin; ohne Zeichen der Liebe und der Vertrautheit; er sah sie mit seinen starken Augen oft an, aber sie sagten nichts. Sie liebte diesen Wolf, weil seine Sehnen, sein braunes Haar, die schweigende Wildheit und die Kraft der Augen sie an den Herrn von Ketten erinnerten.

Einmal kam der Augenblick, auf den man warten muß; der Bischof fiel in Krankheit und starb, das Kapitel war ohne Herrn. Ketten verkaufte, was beweglich war, nahm Pfänder auf liegenden Besitz und rüstete aus allen Mitteln ein kleines, ihm eigenes Heer: dann unterhandelte er. Vor die Wahl gestellt, den alten Streit gegen neu bewaffnete Kraft weiterführen zu müssen, ehe noch der kommende Herr sich entscheiden konnte, oder einen billigen Abschluß zu finden, entschied sich das Kapitel für dieses, und es konnte nicht anders geschehn, als daß der Ketten, der als Letzter stark und drohend dastand, das meiste für sich einstrich, wofür sich das Domkapitel an Schwächeren und Zaghafteren schadlos hielt.

So hatte ein Ende gefunden, was nun schon in der vierten Erbfolge wie eine Zimmerwand gewesen war, die man jeden Morgen beim Frühbrot vor sich sieht und nicht sieht: mit einem Mal fehlte sie; bis hieher war alles gewesen wie im Leben aller Ketten, was noch zu tun blieb im Leben dieses Ketten, war runden und ordnen, ein Handwerker- und kein Herrenziel.

Da stach ihn, als er heimritt, eine Fliege.

Die Hand schwoll augenblicklich an, und er wurde sehr müde. Er kehrte in die Schenke eines elenden kleinen Dorfes ein, und während er hinter dem schmierigen Holztisch saß, überwältigte ihn Schlummer. Er legte sein Haupt in den Schmutz und als er gegen Abend erwachte, fieberte er. Er wäre trotzdem weitergeritten, wenn er Eile gehabt hätte; aber er hatte keine Eile. Als er am Morgen aufs Pferd steigen wollte, fiel er hin vor Schwäche. Arm und Schulter waren aufgequollen, er hatte sie in den Harnisch gepreßt und mußte sich wieder ausschnallen lassen; während er stand und es geschehen ließ, befiel ihn ein Schüttelfrost, wie er solchen noch nie gesehen; seine Muskeln zuckten und tanzten so, daß er die eine Hand nicht zur andern bringen konnte, und die halb aufgeschnallten Eisenteile klapperten wie eine losgerissene Dachrinne im Sturm. Er fühlte, daß das schwankhaft war, und lachte mit grimmigem Kopf über sein Geklapper; aber in den Beinen war er schwach wie ein Knabe. Er schickte einen Boten zu seiner Frau, andere nach einem Bader und zu einem berühmten Arzt.

Der Bader, der als erster zur Stelle war, verordnete heiße Umschläge von Heilkräutern und bat, schneiden zu dürfen. Ketten, der jetzt viel ungeduldiger war, nach Hause zu kommen, hieß ihn schneiden, bis er bald halb so viel neue Wunden davontrug, als er alte hatte. Seltsam waren diese Schmerzen, gegen die er sich nicht wehren durfte. Dann lag der Herr zwei Tage lang in den saugenden Kräuterverbänden, ließ sich vom Kopf bis zu den Füßen einwickeln und nach Hause schaffen; drei Tage dauerte dieser Marsch, aber die Gewaltkur, die ebensogut hätte zum Tod führen können, indem sie alle Verteidigungskräfte des Lebens verbrauchte, schien der Krankheit Einhalt getan zu haben: als sie am Ziel eintrafen, lag der Vergiftete in hitzigem Fieber, aber der Eiter hatte sich nicht mehr weiter ausgebreitet.

Dieses Fieber, wie eine weite brennende Grasfläche, dauerte Wochen. Der Kranke schmolz in seinem Feuer täglich mehr zusammen, aber auch die bösen Säfte schienen darin verzehrt und verdampft zu werden. Mehr wußte selbst der berühmte Arzt davon nicht zu sagen, und nur die Portugiesin brachte außerdem noch geheime Zeichen an Tür und Bett an. Als eines Tags vom Herrn von Ketten nicht mehr übrig war als eine Form voll weicher heißer Asche, sank plötzlich das Fieber um eine tiefe Stufe hinunter und glomm dort bloß noch sanft und ruhig.

Waren schon Schmerzen seltsam, gegen die man sich nicht wehrt, so hatte der Kranke das Spätere überhaupt nicht so durchlebt wie einer, der mitten darin ist. Er schlief viel und war auch mit offenen Augen abwesend; wenn aber sein Bewußtsein zurückkehrte, so war doch dieser willenlose, kindlich warme und ohnmächtige Körper nicht seiner, und diese von einem Hauch erregte schwache Seele seine auch nicht. Gewiß war er schon abgeschieden und wartete während dieser ganzen Zeit bloß irgendwo darauf, ob er noch einmal zurückkehren müsse. Er hatte nie gewußt, daß Sterben so friedlich sei; er war mit einem Teil seines Wesens vorangestorben und hatte sich aufgelöst wie ein Zug Wanderer: Während die Knochen noch im Bett lagen, und das Bett da war, seine Frau sich über ihn beugte, und er, aus Neugierde, zur Abwechslung, die Bewegungen in ihrem aufmerksamen Gesicht beobachtete, war alles, was er liebte, schon weit voran. Der Herr von Ketten und dessen mondnächtige Zauberin waren aus ihm herausgetreten und hatten sich sacht entfernt: er sah sie noch, er wußte, mit einigen großen Sprüngen würde er sie danach einholen, nur jetzt wußte er nicht, war er schon bei ihnen oder noch hier. Das alles aber lag in einer riesigen gütigen Hand, die so mild war wie eine Wiege und zugleich alles abwog, ohne aus der Entscheidung viel Wesens zu machen. Das mochte Gott sein. Er zweifelte nicht, es erregte ihn aber auch nicht; er wartete ab und antwortete auch nicht auf das Lächeln, das sich über ihn beugte, und die zärtlichen Worte.

Dann kam der Tag, wo er mit einemmal wußte, daß es der letzte sein würde, wenn er nicht allen Willen zusammennahm, um leben zu bleiben, und das war der Tag, an dessen Abend das Fieber sank.

Als er diese erste Stufe der Gesundung unter sich fühlte, ließ er sich täglich auf den kleinen grünen Fleck tragen, der die Felsnase überzog, die mauerlos in die Luft sprang. In seine Tücher gewickelt, lag er dort in der Sonne. Schlief, wachte, wußte nicht, was von beidem er tat.

Einmal, als er aufwachte, stand der Wolf da. Er blickte ihm in die geschliffenen Augen und konnte sich nicht rühren. Er wußte nicht, wieviel Zeit verging, dann stand seine Frau neben ihm, den Wolf am Knie. Er schloß wieder die Augen, als wäre er gar nicht wach gewesen. Aber da er wieder in sein Bett getragen wurde, ließ er sich die Armbrust reichen. Er war so schwach, daß er sie nicht spannen konnte; er staunte. Er winkte den Knecht heran, gab ihm die Armbrust und befahl: der Wolf. Der Knecht zögerte, aber er wurde zornig wie ein Kind, und am Abend hing das Fell des Wolfes im Burghof. Als die Portugiesin es sah, und erst von den Knechten erfuhr, was geschehen war, blieb ihr das Blut in den Adern stehn. Sie trat an sein Bett. Da lag er bleich wie die Wand und sah ihr zum erstenmal wieder in die Augen. Sie lachte und sagte: Ich werde mir eine Haube aus dem Fell machen lassen und dir nachts das Blut aussaugen.

Dann schickte er den Kleriker weg, der früher einmal gesagt hatte: der Bischof kann zu Gott beten, das ist gefährlich für Euch, und später ihm immerzu die letzte Ölung gegeben hatte; aber das gelang nicht gleich, die Portugiesin legte sich ins Mittel und bat, den Kaplan noch zu dulden, bis er ein anderes Unterkommen fände. Der Herr von Ketten gab nach. Er war noch schwach und schlief noch immer viel auf dem Grasfleck in der Sonne. Als er wieder einmal dort erwachte, war der Jugendfreund da. Er stand neben der Portugiesin und war aus ihrer Heimat gekommen; hier im Norden sah er ihr ähnlich. Er grüßte mit edlem Anstand und sprach Worte, die nach dem Ausdruck seiner Mienen voll großer Liebenswürdigkeit sein mußten, indes der Ketten wie ein Hund im Gras lag und sich schämte.

Überdies mochte das auch erst beim zweitenmal gewesen sein; er war noch manchmal abwesend. Er bemerkte auch spät erst, daß ihm seine Mütze zu groß geworden war. Die weiche Fellmütze, die immer etwas stramm gesessen hatte, sank bei einem leichten Zug bis ans Ohr herunter, das sie aufhielt. Sie waren selbdritt, und seine Frau sagte: «Gott, dein Kopf ist ja kleiner geworden!» – Sein erster Gedanke war, daß er sich vielleicht habe die Haare zu kurz scheren lassen, er wußte bloß im Augenblick nicht, wann; er fuhr heimlich mit der Hand hin, aber das Haar war länger, als es sein sollte, und ungepflegt, seit er krank war. So wird sich die Kappe geweitet haben, dachte er, aber sie war noch fast neu und wie sollte sie sich geweitet haben, während sie unbenützt in einer Truhe lag. So machte er einen Scherz daraus und meinte, daß wohl in vielen Jahren, wo er nur mit Kriegsknechten gelebt habe und nicht mit gebildeten Kavalieren, sein Schädel kleiner geworden sein möge. Er fühlte, wie plump ihm der Scherz vom Munde kam, und auch die Frage war damit nicht weggeschafft, denn kann ein Schädel kleiner werden? Die Kraft in den Adern kann nachlassen, das Fett unter der Kopfhaut kann im Fieber etwas zusammenschmelzen: aber was gibt das aus?! Nun tat er zuweilen, als ob er sich das Haar glatt striche, schützte auch vor, sich den Schweiß zu trocknen, oder trachtete, sich unbemerkt in den Schatten zurückzubeugen, und griff schnell, mit zwei Fingerspitzen wie mit einem Maurerzirkel, seinen Schädel ab, ein paarmal, mit verschiedenen Griffen: aber es blieb kein Zweifel, der Kopf war kleiner geworden, und wenn man ihn von innen, mit den Gedanken befühlte, so war er noch viel kleiner und wie zwei dünne aufeinandergeklappte Schälchen.

Man kann ja vieles nicht erklären, aber man trägt es nicht auf den Schultern und fühlt es nicht jedesmal, wenn man den Hals nach zwei Menschen wendet, die sprechen, während man zu schlafen scheint. Er hatte die fremde Sprache schon lang bis auf wenige Worte vergessen; aber einmal verstand er den Satz: «Du tust das nicht, was du willst, und tust das, was du nicht willst.» Der Ton schien eher zu drängen als zu scherzen; was mochte er meinen? Ein andermal beugte er sich weit aus dem Fenster hinaus, ins Rauschen des Flusses; er tat das jetzt oft wie ein Spiel: der Lärm, so wirr wie durcheinandergefegtes Heu, schloß das Ohr, und wenn man aus der Taubheit zurückkehrte, tauchte klein darin und fern das Gespräch der Frau mit dem Andern auf; und es war ein lebhaftes Gespräch, ihre Seelen schienen sich wohl miteinander zu fühlen. Das drittemal lief er überhaupt nur den beiden nach, die abends noch in den Hof gingen; wenn sie an der Fackel oben auf der Freitreppe vorbeikamen, mußte ihr Schatten auf die Baumkronen fallen; er beugte sich rasch vor, als dies geschah, aber in den Blättern verschwammen die Schatten von selbst in einen. Zu jeder andren Zeit hätte er versucht, mit Pferd und Knechten sich das Gift aus dem Leib zu jagen oder es im Wein zu verbrennen. Aber der Kaplan und der Schreiber fraßen und tranken so, daß ihnen Wein und Speise bei den Mundwinkeln herausliefen, und der junge Ritter schwang ihnen lachend die Kanne zu, wie man Hunde aufeinanderhetzt. Der Wein ekelte Ketten, den die mit scholastischer Tünche überzogenen Lümmel soffen. Sie sprachen vom tausendjährigen Reich, von Doktorsfragen und Bettstrohgeschichten; deutsch und in Kirchenlatein. Ein durchreisender Humanist übersetzte, wo es fehlte, zwischen diesem Welsch und dem des Portugiesen; er hatte sich den Fuß verstaucht und heilte ihn hier kräftig aus. «Er ist vom Pferd gefallen, als ein Hase vorbeisprang,» gab der Schreiber zum besten. «Er hielt ihn für einen Lindwurm,» sagte mit unwilligem Spott der Herr von Ketten, der zögernd dabeistand. «Aber das Pferd doch auch!» brüllte der Burgkaplan, «sonst wäre es nicht so gesprungen: Also hat der Magister selbst für einen Roßverstand mehr Einsicht als der Herr!» Die Trunkenen lachten über den Herrn von Ketten. Der sah sie an, trat einen Schritt näher und schlug den Kaplan ins Gesicht. Das war ein runder junger Bauer, er wurde rot über den Kopf, aber dann ganz bleich, und blieb sitzen. Der junge Ritter stand lächelnd auf und ging die Freundin suchen. «Warum habt Ihr ihn nicht erdolcht?!» zischte der Hasen-Humanist auf, als sie allein waren. «Er ist ja stark wie zwei Stiere,» antwortete der Kaplan, «und auch ist die christliche Lehre wahrhaft geeignet, um in solchen Lagen Trost zu geben.» Aber in Wahrheit war der Herr von Ketten noch sehr schwach, und allzu langsam kehrte das Leben in ihn wieder; er konnte die zweite Stufe der Genesung nicht finden.

Der Fremde reiste nicht weiter, und seine Gespielin verstand schlecht die Andeutungen ihres Herrn. Seit elf Jahren hatte sie auf den Gatten gewartet, elf Jahre lang war er der Geliebte des Ruhms und der Phantasie gewesen, nun ging er in Haus und Hof umher und sah, von Krankheit zerschabt, recht gewöhnlich aus neben Jugend und höfischem Anstand. Sie machte sich nicht viel Gedanken darüber, aber sie war ein wenig müde dieses Lands geworden, das Unsagbares versprochen hatte, und mochte sich nicht überwinden, schon wegen eines schiefen Gesichts den Gespielen ziehen zu lassen, der den Duft der Heimat hatte und Gedanken, bei denen man lachen konnte. Sie hatte sich nichts vorzuwerfen; ein wenig oberflächlicher war sie seit Wochen, aber das tat wohl, und sie fühlte, ihr Antlitz glänzte jetzt manchmal wieder so wie vor Jahren. Eine Wahrsagerin, die er befragte, sagte dem Herrn von Ketten voraus: Ihr werdet nur gesund, wenn Ihr etwas vollbringt –, aber da er in sie drang, was das wäre, schwieg sie, suchte ihm zu entkommen und erklärte schließlich, daß sie es nicht finden könne.

Er hätte es immer verstanden, die Gastfreundschaft mit feinem Schnitt zu lösen, statt sie zu brechen, auch ist die Heiligkeit des Lebens und des Gastrechts für einen, der durch Jahre ungebetner Gast bei seinen Feinden war, kein unübersteigliches Hindernis, aber die Schwäche der Genesung machte ihn diesmal fast stolz darauf, unbeholfen zu sein; solche arglistige Klugheit erschien ihm nicht besser als die kindische Wortklugheit des Jungen. Seltsames widerfuhr ihm. In den Nebeln der Krankheit, die ihn umfangen hielten, erschien ihm die Gestalt seiner Frau weicher, als es hätte sein müssen; sie erschien ihm nicht anders als früher, wenn es ihn gewundert hatte, ihre Liebe zuweilen heftiger wiederzufinden als sonst, während doch in der Abwesenheit keine Ursache lag. Er hätte nicht einmal sagen können, ob er heiter oder traurig war; genau so wie in jenen Tagen der tiefen Todesnähe. Er konnte sich nicht rühren. Wenn er seiner Frau in die Augen sah, waren sie wie frisch geschliffen, sein eignes Bild lag obenauf, und sie ließen seinen Blick nicht ein. Ihm war zu Mut, es müßte ein Wunder geschehn, weil sonst nichts geschah, und man darf das Schicksal nicht reden heißen, wenn es schweigen will, sondern soll horchen, was kommen wird.

Eines Tags, als sie in Gesellschaft den Berg heraufkamen, war oben vor dem Tor die kleine Katze. Sie stand vor dem Tor, als wollte sie nicht nach Katzenart über die Mauer setzen, sondern nach Menschenart Einlaß, machte einen Buckel zum Willkomm und strich den ohne irgend einen Grund über ihre Anwesenheit erstaunten großen Geschöpfen um Rock und Stiefel. Sie wurde eingelassen, aber es war gleich, als ob man einen Gast empfinge, und schon am nächsten Tag zeigte sich, daß man vielleicht ein kleines Kind aufgenommen hatte, aber nicht bloß eine Katze: solche Ansprüche stellte das zierliche Tier, das nicht den Vergnügungen in Kellern und Dachböden nachging, sondern keinen Augenblick aus der Gesellschaft der Menschen wich. Und es hatte die Gabe, ihre Zeit für sich zu beanspruchen, was recht unbegreiflich war, da es doch so viel andre, edlere Tiere am Schloß gab, und die Menschen auch mit sich selbst viel zu tun hatten; es schien geradezu davon zu kommen, daß sie die Augen zu Boden senken mußten, um dem kleinen Wesen zuzusehn, das sich ganz unauffällig benahm und um ein klein wenig stiller, ja man könnte fast sagen trauriger und nachdenklicher war, als einer jungen Katze zukam. Die spielte so, wie sie wissen mußte, daß Menschen es von jungen Katzen erwarten, kletterte auf den Schoß und gab sich sogar ersichtlich Mühe, freundlich mit den Menschen zu sein, aber man konnte fühlen, daß sie nicht ganz dabei war; und gerade dies, was zu einer gewöhnlichen jungen Katze fehlte, war wie ein zweites Wesen, ein Ab-Wesen oder ein stiller Heiligenschein, der sie umgab, ohne daß einer den Mut gefunden hätte, das auszusprechen. Die Portugiesin beugte sich zärtlich über das Geschöpfchen, das in ihrem Schoß am Rücken lag und mit den winzigen Krallen nach ihren tändelnden Fingern schlug wie ein Kind, der junge Freund beugte sich lachend und tief über Katze und Schoß, und Herrn von Ketten erinnerte das zerstreute Spiel an seine halb überwundene Krankheit, als wäre die, samt ihrer Todessanftheit, in das Tierkörperchen verwandelt, nun nicht mehr bloß in ihm, sondern zwischen ihnen. Ein Knecht sagte: Die bekommt die Räude.

Herr von Ketten wunderte sich, weil er das nicht selbst erkannt hatte; der Knecht wiederholte: Die muß man beizeiten erschlagen.

Die kleine Katze hatte inzwischen einen Namen aus einem der Märchenbücher erhalten. Sie war noch sanfter und duldsamer geworden. Jetzt konnte man auch schon bemerken, daß sie krank und fast leuchtend schwach wurde. Sie ruhte immer länger aus im Schoß von den Geschäften der Welt, und ihre kleinen Krallen hielten sich mit zärtlicher Angst fest. Sie begann jetzt auch einen um den andren anzusehn; den beiden Ketten und den jungen Portugiesen, der vorgeneigt saß und den Blick von ihr nicht wendete, oder von dem Atmen des Schoßes, in dem sie lag. Sie sah sie an, als wollte sie um Vergebung dafür bitten, daß es häßlich sein werde, was sie in geheimer Vertretung für alle litt. Und dann begann ihr Martyrium.

Eines Nachts begann das Erbrechen, und sie erbrach bis zum Morgen; sie war ganz matt und wirr im wiederkehrenden Tageslicht, als hätte sie viele Schläge vor den Kopf erhalten. Aber vielleicht hatte man dem verhungerten armen Kätzchen bloß im Übereifer der Liebe zuviel zu fressen gegeben: doch im Schlafzimmer konnte sie danach nicht mehr bleiben und wurde zu den Burschen in die Hofkammer getan. Aber die Burschen klagten nach zwei Tagen, daß es nicht besser geworden sei, und wahrscheinlich hatten sie sie auch in der Nacht hinausgeworfen. Und sie brach jetzt nicht nur, sondern konnte auch den Stuhl nicht halten, und nichts war vor ihr sicher. Das war nun eine schwere Probe, zwischen einem kaum sichtbaren Heiligenschein und dem gräßlichen Schmutz, und es entstand der Beschluß – man hatte inzwischen erfahren, woher sie gekommen war, – sie dorthin zurücktragen zu lassen; es war ein Bauernhaus unten am Fluß, nahe dem Fuß des Berges. Man würde heute sagen, sie stellten sie ihrer Heimatsgemeinde zurück und wollten weder etwas verantworten, noch sich lächerlich machen; aber das Gewissen drückte sie alle, und sie gaben Milch und ein wenig Fleisch mit und sogar Geld, damit die Bauersleute, wo Schmutz nicht soviel ausmachte, gut für sie sorgten. Die Dienstleute schüttelten dennoch die Köpfe über ihre Herrn.

Der Knecht, der die kleine Katze hinuntergetragen hatte, erzählte, daß sie ihm nachgelaufen war, als er zurückging, und daß er noch einmal hatte umkehren müssen: zwei Tage später war sie wieder oben am Schloß. Die Hunde wichen ihr aus, die Dienstleute trauten sich wegen der Herrschaft nicht, sie fortzujagen, und als die sie erblickte, stand schweigend fest, daß jetzt niemand mehr ihr verweigern wollte, hier oben zu sterben. Sie war ganz abgemagert und glanzlos geworden, aber das ekelerregende Leiden schien sie überwunden zu haben und nahm bloß fast zusehends an Körperlichkeit ab. Es folgten zwei Tage, die verstärkt alles noch einmal enthielten, was bisher gewesen war: langsames, zärtliches Umhergehn in dem Obdach, wo man sie hegte; zerstreutes Lächeln mit den Pfoten, wenn sie nach einem Stückchen Papier schlug, das man vor ihr tanzen ließ; zuweilen ein leichtes Wanken vor Schwäche, obgleich vier Beine sie stützten, und am zweiten Tag fiel sie zuweilen auf die Seite. An einem Menschen würde man dieses Hinschwinden nicht so seltsam empfunden haben, aber an dem Tier war es wie eine Menschwerdung. Fast mit Ehrfurcht sahen sie ihr zu; keiner dieser drei Menschen in seiner besonderen Lage blieb von dem Gedanken verschont, daß es sein eigenes Schicksal sei, das in diese vom Irdischen schon halb gelöste kleine Katze übergegangen war. Aber am dritten Tag begannen wieder das Erbrechen und die Unreinlichkeit. Der Knecht stand da, und wenn er sich auch nicht traute, es zu wiederholen, sagte doch sein Schweigen: man muß sie erschlagen. Der Portugiese senkte den Kopf wie bei einer Versuchung, dann sagte er zur Freundin: es wird nicht anders gehn; ihm kam es selbst vor, als hätte er sich zu seinem eigenen Todesurteil bekannt. Und mit einemmal sahen alle den Herrn von Ketten an. Der war weiß wie die Wand geworden, stand auf und ging. Da sagte die Portugiesin zum Knecht: Nimm sie zu dir.

Der Knecht hatte die Kranke auf seine Kammer genommen, und am nächsten Tag war sie fort. Niemand frug. Alle wußten, daß er sie erschlagen hatte. Alle fühlten sich von einer unaussprechlichen Schuld bedrückt; es war etwas von ihnen gegangen. Nur die Kinder fühlten nichts und fanden es in Ordnung, daß der Knecht eine schmutzige Katze erschlug, mit der man nicht mehr spielen konnte. Aber die Hunde am Hof schnupperten zuweilen an einem Grasfleck, auf den die Sonne schien, steiften die Beine, sträubten das Fell und blickten schief zur Seite. In einem solchen Augenblick begegneten sich Herr von Ketten und die Portugiesin. Sie blieben beieinander stehn, sahn nach den Hunden hinüber und fanden kein Wort. Das Zeichen war dagewesen, aber wie war es zu deuten, und was sollte geschehn? Eine Kuppel von Stille war um die beiden.

Wenn sie ihn bis zum Abend nicht fortgeschickt hat, muß ich ihn töten, – dachte Herr von Ketten. Aber der Abend kam, und es hatte sich nichts ereignet. Das Vesperbrot war vorbei. Ketten saß ernst, von leichtem Fieber gewärmt. Er ging in den Hof, sich zu kühlen, er blieb lange aus. Er vermochte den Entschluß nicht zu finden, der ihm sein ganzes Dasein lang spielend leicht gewesen war. Pferde satteln, Harnisch anschnallen, ein Schwert ziehn, diese Musik seines Lebens war ihm mißtönend; Kampf erschien ihm wie eine sinnlos fremde Bewegung, selbst der kurze Weg eines Messers war wie eine unendlich lange Straße, auf der man verdorrt. Aber auch Leiden war nicht seine Art; er fühlte, daß er nie wieder ganz genesen würde, wenn er sich dem nicht entriß. Und neben beidem gewann allmählich etwas anderes Raum: als Knabe hatte er immer die unersteigliche Felswand unter dem Schloß hinaufklettern wollen; es war ein unsinniger und selbstmörderischer Gedanke, aber er gewann dunkles Gefühl für sich wie ein Gottesurteil oder ein nahendes Wunder. Nicht er, sondern die kleine Katze aus dem Jenseits würde diesen Weg wiederkommen, schien ihm. Er schüttelte leise lachend den Kopf, um ihn auf den Schultern zu fühlen, aber dabei erkannte er sich schon weit unten auf dem steinigen Weg, der den Berg hinabführte.

Tief beim Fluß bog er ab; über Blöcke, zwischen denen das

Wasser trieb, dann an Büschen hinauf in die Wand. Der Mond zeichnete mit Schattenpunkten die kleinen Vertiefungen, in welche Finger und Zehen hineingreifen konnten. Plötzlich brach ein Stein unter dem Fuß weg; der Ruck schoß in die Sehnen, dann ins Herz. Ketten horchte; es schien ohne Ende zu dauern, bevor der Stein ins Wasser schlug; er mußte mindestens ein Drittel der Wand schon unter sich haben. Da wachte er, so schien es deutlich, auf und wußte, was er getan hatte. Unten ankommen konnte nur ein Toter, und die Wand hinauf der Teufel. Er tastete suchend über sich. Bei jedem Griff hing das Leben in den zehn Riemchen der Fingersehnen; Schweiß trat aus der Stirn, Hitze flog im Körper, die Nerven wurden wie steinerne Fäden: aber, seltsam zu fühlen, begannen bei diesem Kampf mit dem Tod Kraft und Gesundheit in die Glieder zu fließen, als kehrten sie von außen wieder in den Körper zurück. Und das Unwahrscheinliche gelang; noch mußte oben einem Überhang nach der Seite ausgewichen sein, dann schlang sich der Arm in ein Fenster. Es wäre wohl anders, als bei diesem Fenster emporzutauchen, auch gar nicht möglich gewesen; aber er wußte, wo er war; er schwang sich hinein, saß auf der Brüstung und ließ die Beine ins Zimmer hängen. Mit der Kraft war die Wildheit wiedergekehrt. Er atmete sich aus. Seinen Dolch an der Seite hatte er nicht verloren. Es kam ihm vor, daß das Bett leer sei. Aber er wartete, bis sein Herz und seine Lungen völlig ruhig seien. Es kam ihm dabei immer deutlicher vor, daß er in dem Zimmer allein war. Er schlich zum Bett: es hatte in dieser Nacht niemand darin gelegen.

Der Herr von Ketten schlich durch Zimmer, Gänge, Türen, die keiner zum erstenmal findet, der nicht geführt ist, vor das Schlafgemach seiner Frau. Er lauschte und wartete, aber kein Flüstern verriet sich. Er glitt hinein; die Portugiesin atmete sanft im Schlaf; er bückte sich in dunkle Ecken, tastete an Wänden, und als er sich wieder aus dem Zimmer drückte, hätte er beinahe gesungen vor Freude, die an seinem Unglauben rüttelte. Er stöberte durch das Schloß, aber schon krachten die Dielen und Fliesen unter seinem Tritt, als suchte er eine freudige Überraschung. Im Hof rief ihn ein Knecht an, wer er sei. Er fragte nach dem Gast. Fortgeritten, meldete der Knecht, wie der Mond heraufkam. Der Herr von Ketten setzte sich auf einen Stapel halbentrindeter Hölzer, und die Wache wunderte sich, wie lang er saß. Plötzlich packte ihn die Gewißheit an, wenn er jetzt das Zimmer der Portugiesin wieder betrete, werde sie nicht mehr da sein. Er pochte heftig und trat ein; die junge Frau fuhr auf, als hätte sie im Traum darauf gewartet, und sah ihn angekleidet vor sich stehn, so wie er fortgegangen war. Es war nichts bewiesen und nichts weggeschafft, aber sie fragte nicht, und er hätte nichts fragen können. Er zog den schweren Vorhang vom Fenster zurück, und der Vorhang des Brausens stieg auf, hinter dem alle Catene geboren wurden und starben.

«Wenn Gott Mensch werden konnte, kann er auch Katze werden,» sagte die Portugiesin, und er hätte ihr die Hand vor den Mund halten müssen, wegen der Gotteslästerung, aber sie wußten, kein Laut davon drang aus diesen Mauern hinaus.

# Tonka

## I

An einem Zaun. Ein Vogel sang. Die Sonne war dann schon irgendwo hinter den Büschen. Der Vogel schwieg. Es war Abend. Die Bauernmädchen kamen singend über die Felder. Welche Einzelheiten! Ist es Kleinlichkeit, wenn solche Einzelheiten sich an einen Menschen heften? Wie Kletten!? Das war Tonka. Die Unendlichkeit fließt manchmal in Tropfen.

Auch das Pferd gehört dazu, der Rotschimmel, den er an eine Weide gebunden hatte. Es war in seinem Militärjahr. Es ist nicht zufällig, daß es in seinem Militärjahr war, denn niemals ist man so entblößt von sich und eigenen Werken wie in dieser Zeit des Lebens, wo eine fremde Gewalt alles von den Knochen reißt. Man ist ungeschützter in dieser Zeit als sonst.

Aber war es überhaupt so gewesen? Nein, das hatte er sich erst später zurechtgelegt. Das war schon das Märchen; er konnte es nicht mehr unterscheiden. In Wahrheit hatte sie doch damals bei ihrer Tante gelebt, als er sie kennen lernte. Und Kusine Julie kam manchmal zu Besuch. So war es. Er wunderte sich ja darüber, daß man sich mit Kusine Julie an einen Tisch setzen und ihr eine Tasse Kaffee zuschieben konnte, denn sie war doch eine Schande. Es war bekannt, daß man Kusine Julie ansprechen und noch am selben Abend auf sein Zimmer nehmen konnte: auch in die Wohnungen der Kupplerinnen ließ sie sich rufen und hatte sonst keinen Erwerb. Aber andrerseits war sie eben eine Verwandte, wenn man auch ihr Treiben nicht billigte; und wenn sie auch leichtsinnig war, konnte man ihr doch nicht gut den Platz am Tisch verweigern, zumal sie selten genug kam. Ein Mann hätte ja vielleicht Lärm geschlagen, denn ein Mann liest die Zeitung oder gehört einem Verein mit bestimmten Zielen an und hat immer die Brust voll mit großen Worten, aber die Tante begnügte sich mit ein paar bissigen Bemerkungen jedesmal, nachdem Julie wieder gegangen war, und solange man mit ihr am Tisch saß, mußte man mit ihr lachen, denn sie war ein witziges Mädchen und kannte bald mehr von der Stadt als eine. Immerhin, wenn man auch mißbilligte, fehlte also die Kluft; man konnte hinüber.

Das gleiche bewiesen die Weiber aus der Strafanstalt; das waren auch meist Prostituierte, und sogar die Anstalt mußte bald danach an einen andern Ort verlegt werden, weil mitten in der Haft plötzlich viele schwanger wurden – von den Neubauten her, wo sie Mörtel trugen, während männliche Häftlinge als Maurer arbeiteten. Diese Weiber nun wurden auch zu Hausarbeiten vermietet, sie wuschen zum Beispiel sehr gut und waren von kleinen Leuten wegen ihrer Billigkeit sehr gesucht. Auch Tonkas Großmutter ließ sie an den Waschtagen kommen, man gab ihnen Kaffee und Semmel, und weil man mit ihnen zusammen im Haus gearbeitet hatte, frühstückte man auch gemeinsam mit ihnen und grauste sich nicht. Mittags mußten sie durch einen Begleiter in die Anstalt zurückgebracht werden, so war die Vorschrift, und gewöhnlich wurde Tonka damit beauftragt, als sie noch ein kleines Mädel war, ging plaudernd neben ihnen her und schämte sich gar nicht ihrer Gesellschaft, obwohl sie weiße, weithin kenntliche Kopftücher und graue Gefängniskleidung trugen. Ahnungslos mag man das nennen, ahnungslos ausgeliefert sein eines jungen, armen Lebens an Einflüsse, die es abstumpfen müssen; aber wenn Tonka später, sechzehnjährig und immer noch ohne Schreck, mit Kusine Julie scherzte: kann man sagen, daß es ohne Ahnung von der Schande geschah, oder war hier schon das Feingefühl eines Gemüts für Schande verlorengegangen? Wenn auch ohne Schuld, wie wäre das kennzeichnend!

Auch das Haus darf man nicht vergessen. Fünf Fenster hatte es auf die Straße hin – stehen geblieben zwischen schon hoch aufgeschossenen neuen Häusern – und ein Hintergebäude, darin Tonka mit ihrer Tante wohnte, die eigentlich ihre viel ältere Base war, und deren kleinem Sohn, der eigentlich ein unehelicher Sohn war, wenn auch aus einem Verhältnis, das sie so ernst genommen hatte wie eine Ehe, und einer Großmutter, die nicht wirklich die Großmutter, sondern deren Schwester war, und früher wohnte noch ein wirklicher Bruder ihrer toten Mutter dort, der aber auch jung starb, das alles in einem Zimmer mit Küche, während vorn die fünf Fenster, vornehm verhängt, nichts weniger verbargen als ein anrüchiges Quartier, wo leichtsinnige Kleinbürgerfrauen, aber auch Gewerbsmäßige mit Männern zusammengebracht wurden. Man ging schweigend im Haus an diesen Vorgängen vorüber, und da man keinen Zank mit der Kupplerin wollte, grüßte man sogar, und die war eine dicke Person, die sehr auf Achtbarkeit zielte und eine Tochter hatte, die so alt wie Tonka war. Diese Tochter schickte sie in eine gute Schule, ließ sie Klavier und Französisch lernen, kaufte ihr schöne Kleider und hielt sie sorgsam fern von den Vorgängen in der Wohnung; sie hatte ein weiches Herz, und das erleichterte ihr den Erwerb, denn sie wußte, daß er schändlich war. Mit dieser Tochter durfte Tonka früher zuweilen spielen und kam dann in die Vorderwohnung, die zu solchen Stunden leer und übergroß war und Tonka lebenslang einen Eindruck von Pracht und Vornehmheit hinterließ, den erst er auf das rechte Maß brachte. Übrigens hieß sie nicht ganz mit Recht Tonka, sondern war deutsch getauft auf den Namen Antonie, während Tonka die Abkürzung der tschechischen Koseform Toninka bildet; man sprach in diesen Gassen ein seltsames Gemisch zweier Sprachen.

Aber wohin führen solche Gedanken?! Sie war ja doch an einem Zaun gestanden damals, vor der dunkel offenen Tür eines Häuschens, des ersten im Dorf gegen die Stadt zu, trug Schnürstiefel, rote Strümpfe und bunte, breite, tiefe Röcke, schien, während sie sprach, nach dem Mond zu sehen, der blaß über dem gemähten Korn stand, antwortete schlagfertig scheu, lachte, fühlte sich im Schutz des Mondes, und der Wind blies so sanft über die Stoppeln, als müßte er eine Suppe kühlen. Am Heimritt hatte er noch zu seinem Kameraden, dem Einjährigen Baron Mordansky, lachend gesagt: «Ich würde schon gern mit so einem Mädel etwas haben, aber es ist mir zu gefährlich; als Schutz gegen Sentimentalität müßtest du mir versprechen, Hausfreund zu werden.» Und Mordansky, der bereits Volontär in der Zuckerfabrik seines Onkels gewesen war, hatte darauf von der Rübenernte erzählt, wo Hunderte solcher Bauernmädchen auf den Fabriksfeldern arbeiten und sich den Gutsinspektoren und deren Gehilfen in allem so willig unterwerfen sollen wie Negersklaven. Und er hatte ganz bestimmt einmal ein solches Gespräch mit Mordansky abgebrochen, weil es ihn verletzte, aber das war doch nicht damals gewesen, denn das, was eben wie Erinnerung erscheinen wollte, war schon wieder das später gewachsene Dornengerank in seinem Kopf. In Wahrheit hatte er sie zum erstenmal am «Ring» gesehen, jener Hauptstraße mit den steinernen Lauben, wo die Offiziere und die Herren von der Regierung an den Ecken stehen, die Studenten und jungen Kaufleute auf und ab wandeln, die Mädel nach Geschäftsschluß oder die neugierigeren auch schon in der Mittagspause Arm in Arm zu zweien und dreien durchziehen, manchmal einer der Rechtsanwälte langsam und grüßend sich hindurchschieben läßt, ein Stadtverordneter oder auch ein angesehener Fabrikant, und sogar Damen nicht fehlen, die ihr Heimweg von den Einkäufen just vorbeiführt. Dort hatte ihn plötzlich ihr Blick in die Augen getroffen, ein lustiger Blick, nur ein Sekündchen lang und wie ein Ball, der aus Versehen einem Vorübergehenden ins Gesicht flog, im Nu von einem Wegschauen gefolgt und einem geheuchelt arglosen Ausdruck. Er hatte sich rasch umgedreht, denn er dachte, nun würde das Kichern folgen, aber Tonka ging mit geradem Kopf, fast erschrocken; sie ging mit zwei andern Mädchen, war größer als sie, und ihr Gesicht hatte, ohne schön zu sein, etwas Deutliches und Bestimmtes. Nichts darin hatte jenes Kleine, listig Weibliche, das nur durch die Anordnung wirkt; Mund, Nase, Augen standen deutlich für sich, vertrugen es auch, für sich betrachtet zu werden, ohne durch anderes zu entzücken als ihren Freimut und die über das Ganze gegossene Frische. Es war seltsam, daß ein so heiterer Blick saß wie ein Pfeil mit einem Widerhaken, und sie schien sich selbst daran wehgetan zu haben.

Das war nun klar. Sie war also damals in dem Tuchgeschäft, und es war ein großes Geschäft, das viele Mädchen für seine Lager angestellt hatte. Sie mußte die Stoffballen beaufsichtigen und die richtigen finden, wenn ein Muster verlangt wurde, und ihre Hände waren stets etwas feucht, weil sie von den feinen Haaren der Tuche gereizt wurden. Das hatte nichts von Traum: offen war ihr Gesicht. Aber dann waren da die Söhne des Tuchherrn, und der eine trug einen Schnurrbart wie ein Eichhörnchen, der an den Enden aufgekräuselt war, und stets Lackschuhe; Tonka wußte zu erzählen, wie vornehm er sei, wieviel Schuhe er hatte und daß seine Hosen jeden Abend zwischen zwei Bretter mit schweren Steinen gelegt wurden, damit die Falten scharf blieben.

Und jetzt, weil man klar durch den Nebel etwas Wirkliches sah, tauchte das Lächeln auf, das ungläubige, zuschauende Lächeln seiner eigenen Mutter, voll Mitleid und Geringschätzung für ihn. Dieses Lächeln war wirklich. Es sagte: Gott, jeder Mensch weiß, dieses Geschäft . . .?! Aber obgleich Tonka noch Jungfrau gewesen war, als er sie kennen lernte, war dieses Lächeln, heimtückisch versteckt oder verkleidet, auch in vielen quälenden Träumen aufgetaucht. Vielleicht hatte es sich nie als ein einzelnes Lächeln ereignet;

das war selbst jetzt nicht sicher. Und dann gibt es auch Brautnächte, wo man nicht ganz sicher sein kann, sozusagen physiologische Zweideutigkeiten, wo selbst die Natur nicht ganz klar Aufschluß gibt, und im gleichen Augenblick, wo das wieder vor der Erinnerung stand, wußte er: auch der Himmel war gegen Tonka.

II

Es war leichtsinnig von ihm gewesen, Tonka als Pflegerin und Gesellschaft zu seiner Großmutter zu bringen. Er war noch sehr jung und hatte eine kleine List eingefädelt; die Schwägerin seiner Mutter kannte Tonkas Tante, die in «gute Häuser» weißnähen kam, und er hatte gestiftet, daß man sie frug, ob sie nicht ein junges Mädchen wüßte, und so. Das junge Mädchen sollte bei der Großmutter bleiben, deren Erlösung man in zwei bis drei Jahren erwartete, und außer dem Lohn dann im Vermächtnis bedacht werden.

Aber inzwischen waren nun einige kleine Erlebnisse einander gefolgt. Zum Beispiel, er ging einmal mit ihr, etwas zu besorgen; auf der Straße spielten Kinder, und sie sahen beide plötzlich einem heulenden kleinen Mädchen in ein Gesicht, das sich wie ein Wurm nach allen Seiten krümmte und prall von der Sonne beschienen war. Ihm erschien da die unbarmherzige Deutlichkeit, mit der das im Licht stand, als ein ähnliches Beispiel des Lebens wie der Tod, aus dessen Umkreis sie kamen. Tonka aber «hatte» nur «Kinder gern»; sie beugte sich scherzend und tröstend zu der Kleinen, fand den Anblick vielleicht drollig, und das war das letzte, so sehr er sich auch bemühte, ihr zu zeigen, daß dieser Anblick dahinter noch etwas anderes war. Von wie vielen Seiten er auch kam, er stand zuletzt immer vor der gleichen Undurchsichtigkeit in ihrem Geiste; Tonka war nicht dumm, aber etwas schien sie zu hindern, klug zu sein, und zum erstenmal empfand er dieses weit ausgedehnte Mitleid mit ihr, das so schwer zu begründen war.

Ein andermal fragte er sie: «Wie lange sind Sie nun eigentlich schon bei Großmama, Fräulein?» Und als sie geantwortet hatte, sagte er: «So? Eine lange Zeit, wenn man sie neben einer Greisin zubringen muß.»

«Oh!» machte Tonka. «Ich bin gern da.»

«Nun, mir können Sie ruhig das Gegenteil sagen. Ich kann mir nicht vorstellen, wie sich ein junges Mädchen dabei wohlfühlen soll.»

«Man tut seine Arbeit», antwortete Tonka und wurde rot.

«Tut seine Arbeit, schön, aber man will doch auch anderes vom Leben?»

«Ja.»

«Und haben Sie das denn?»

«Nein.»

«Ja – nein, ja – nein» – er wurde ungeduldig – «was soll das heißen? Schimpfen Sie wenigstens auf uns!» Aber er sah, daß sie mit Antworten kämpfte, die sie immer wieder im letzten Augenblick von den Lippen verwarf, und sie tat ihm plötzlich leid. «Sie werden mich wohl kaum verstehen, Fräulein, ich denke nicht schlecht von meiner Großmutter, das ist es nicht; sie ist auch eine arme Frau, aber ich denke jetzt nicht von dieser Seite: das ist meine Art. Ich denke von Ihrer Seite, und da ist sie ein Klumpen Scheußlichkeit. Verstehen Sie mich jetzt?»

«Ja,» sagte das Fräulein leise und wurde über und über rot. «Ich habe Sie auch schon früher verstanden. Aber ich kann's nicht sagen.»

Da lachte er nun. «Das ist etwas, das mir noch nie widerfahren ist: etwas nicht sagen können! Aber jetzt will ich erst recht wissen, was Sie antworten möchten, ich werde Ihnen helfen.» Er wandte sich so völlig zu ihr, daß sie noch mehr verlegen wurde. «Also fangen wir an: Macht Ihnen die ruhige, gleichmäßige Pflicht, das geregelte Taugaustagein vielleicht Vergnügen? Ist es das?»

«Oh, nun, ich weiß nicht, wie Sie das meinen; ich habe meine Arbeit ganz gern.»

«Ganz gern, schön. Aber Bedürfnis: nicht gerade? Es gibt ja Leute, die gar nichts anderes wollen als Tagwerk.»

«Wie meinen Sie das?»

«Wünsche, Träume, Ehrgeiz meine ich; läßt Sie ein Tag wie heute unberührt?»

Es war zwischen den Mauern der Stadt ein Tag voll Zittern und Frühlingshonig.

Da lachte das Fräulein: «Nein. Aber das ist es doch nicht.»

«Ist es nicht? Nun, dann haben Sie vielleicht eine Vorliebe für halbfinstere Zimmer, das leise Sprechen, der Geruch von Medizinflaschen und dergleichen? Es gibt auch solche Leute, Fräulein, aber ich sehe schon an Ihrem Gesicht, daß ich es wieder nicht getroffen habe.»

Fräulein Tonka schüttelte den Kopf und zog die Mundwinkel etwas abwärts – in schüchternem Spott oder auch nur aus Verlegenheit. Aber nun ließ er ihr keine Ruhe. «Sehen Sie, wie ich irre, wie lächerlich ich mich vor Ihnen mache mit meinen verfehlten Überlegungen: gibt Ihnen das nicht Mut? Also! –?»

Und nun kam es auch endlich heraus. Langsam. Stockend. Die Worte verbessernd, als ob man etwas sehr schwer zu Verstehendes begreiflich machen müßte:

«Ich mußte mir doch etwas verdienen.»

Ach, dieses Einfachste!

Welch feiner Esel war er und welche steinere Ewigkeit lag in dieser so gewöhnlichen Antwort.

Wieder ein andermal war er mit Tonka heimlich spazierengegangen; sie machten Ausflüge an dem freien Tag, den sie zweimal im Monat hatte; es war Sommer. Als der Abend kam, fühlte man die Luft gerade so warm wie das Gesicht und die Hände, und wenn man im Gehen die Augen schloß, glaubte man sich aufzulösen und ohne Grenzen zu schweben. Er beschrieb es Tonka, und da sie lachte, fragte er sie, ob sie es verstünde.

Oh, ja.

Aber da er mißtrauisch war, wollte er, daß sie es ihm mit eigenen Worten beschreibe; und das vermochte sie nicht.

Dann verstehe sie es auch nicht.

O doch – und plötzlich –: man müßte singen.

Nur das nicht! Doch! So zankten sie hin und her. Und schließlich begannen sie zu singen, wie man ein Corpus delicti auf den Tisch legt oder einen Lokalaugenschein vornimmt. Herzlich schlecht und aus einer Operette, aber zum Glück sang Tonka leise, und er freute sich über dieses kleine Zeichen von Takt. Sicherlich, sagte er sich, war sie bloß einmal im Leben im Theater, und seither ist diese elende Musik für sie Inbegriff der Vergoldung des Daseins. Aber sie hatte sogar diese paar Melodien nur von ihren früheren Freundinnen aus dem Geschäft gehört.

Ob sie ihr denn wirklich gefielen? Es ärgerte ihn, wenn sie durch irgend etwas noch mit dem Geschäft zusammenhing.

Sie wußte nicht, was es war, und ob diese Musik schön sei oder dumm; bloß den Wunsch weckte sie in ihr, selbst einmal auf dem

Theater zu stehen und mit ganzer Kraft die Leute glücklich oder unglücklich zu machen. Das war nun vollends lächerlich, wenn man die gute Tonka dabei ansah, und er wurde so unlustig, daß sein Singen rasch zu einem Brummen absank. Da brach Tonka jäh ab; auch sie schien es zu fühlen, und sie gingen eine Weile schweigend nebeneinander her, bis Tonka stehen blieb und sagte: «Das ist es gar nicht, was ich mit dem Singen meinte.» Und da in seinen Augen ein kleines Zeichen der Güte antwortete, begann sie abermals leise zu singen, aber diesmal waren es Volkslieder ihrer Heimat. Sie schritten dahin, und diese einfachen Weisen machten so traurig wie Kohlweißlinge im Sonnenschein. Und da hatte nun mit einemmal natürlich Tonka recht.

Nun war er es, der nicht ausdrücken konnte, was mit ihm geschah, und Tonka, weil sie die gewöhnliche Sprache nicht sprach, sondern irgend eine Sprache des Ganzen, hatte leiden müssen, daß man sie für dumm und unempfindlich hielt. Damals war es ihm klar, was es bedeutet: Lieder fallen ihr ein. Sie kam ihm sehr einsam vor. Wenn sie ihn nicht hätte, wer würde sie verstehn? Und sie sangen beide. Tonka sagte ihm den fremden Text vor und übersetzte ihn, dann faßten sie sich bei der Hand und sangen wie die Kinder. Wenn sie eine Pause machen mußten, um Atem zu schöpfen, gab es jedesmal auch ein kleines Verstummen dort vor ihnen, wo sich die Dämmerung über den Weg zog, und wenn das alles auch dumm war, war der Abend eins mit ihren Empfindungen.

Und noch ein andermal saßen sie an einem Waldrand, und er sah bloß durch einen Spalt der Lider, sprach nichts und hing seinen Gedanken nach. Tonka erschrak und fürchtete, ihn wieder verletzt zu haben. Ihr Atem hob sich mehrmals, weil sie nach Worten suchte, aber ihre Scheu hielt sie zurück. Und so war lange nichts zu hören als das quälende Lallen der Waldgeräusche, das in jeder Sekunde anderswo anhebt und verstummt. Einmal flog ein brauner Falter an ihnen vorüber und setzte sich auf eine hochgestielte Blume, die bei der Berührung zitterte und mehrmals hin und her schwankte, bis ihre Bewegung plötzlich stillstand wie ein abgebrochenes Gespräch. Tonka drückte ihre Finger fest in das Moos, auf dem sie saßen; aber nach einer Weile richteten sich die kleinen Stengelchen wieder auf, einer nach dem andern in Reihen, und nach abermals einer Weile war jede Spur der Hand, die da gelegen hatte, verwischt. Es war, um zu weinen, ohne zu wissen warum. Hätte sie denken gelernt wie ihr Begleiter, so hätte Tonka in diesem Augenblick gefühlt, daß die Natur aus lauter häßlichen Unscheinbarkeiten besteht, die so traurig getrennt voneinander leben wie die Sterne in der Nacht; die schöne Natur; eine Wespe kroch um seinen Fuß, mit einem Kopf wie eine Laterne, und er sah ihr zu. Und er sah seinem Fuß zu, der, breit und schwarz, schief in das Braun eines Weges ragte.

Tonka hatte sich oft davor gefürchtet, daß einmal ein Mann vor ihr stehen würde und sie nimmer ausweichen könnte. Was ihre älteren Freundinnen aus dem Geschäft ihr strahlend erzählten, war der langweilige, rohe Leichtsinn der Liebe, und es empörte sie, daß auch mit ihr jeder Mann zärtlich einzulenken versuchte, kaum er die ersten Worte hinter sich gebracht hatte. Wie sie nun ihren Begleiter ansah, gab ihr das mit einem Mal einen Stich; bis zu diesem Augenblick hatte sie noch nie gefühlt, mit einem Mann in seiner Gesellschaft zu sein, denn alles war anders. Er hatte sich breit auf beide Ellbogen zurückgelehnt, und der Kopf lag auf der Brust; fast ängstlich sah Tonka nach seinen Augen. Da aber stand ein eigentümliches Lächeln; er hatte das eine Auge geschlossen und zielte mit dem andern längs seines Körpers hinunter; es war sicher, daß er davon wußte, wie häßlich die Stellung seines Schuhes aussah, und vielleicht auch, wie wenig es war, mit Tonka an einem Waldrand zu liegen, aber er änderte nichts daran, jedes einzelne war häßlich, und alles zusammen was Glück. Tonka hatte sich leise aufgerichtet. Hinter ihrer Stirn war es plötzlich heiß geworden und ihr Herz klopfte. Sie verstand nicht, was er dachte, aber sie las alles zugleich in seinem Auge und ertappte sich mit einem Mal bei dem Wunsch, seinen Kopf in den Arm zu nehmen und seine Augen zuzudecken. Sie sagte: «Es ist schon Zeit, zu gehen, sonst wird es finster.»

Als sie am Wege waren, sagte er: «Sie haben sich gewiß gelangweilt, aber Sie müssen sich an mich gewöhnen.» Er nahm ihren Arm, weil man schon schlecht zu sehen begann, und suchte sich für sein Schweigen und dann unwillkürlich weiter auch für seine Gedanken zu entschuldigen. Sie verstand nicht, wovon er sprach, aber sie erriet seine Worte, die so ernst durch den Nebel drangen, in ihrer Art. Und als er sich nun gar noch für den Ernst dieser Worte entschuldigte, wußte sie nicht aus noch ein und fand bei der Jungfrau Maria keine andere Antwort, als daß sie ihren Arm inniger in seinen schob, wenn sie sich auch furchtbar dafür schämte.

Er streichelte ihre Hand. «Ich glaube, daß wir uns gut vertragen, Tonka, aber verstehen Sie mich denn?»

Nach einer Weile antwortete Tonka: «Es macht nichts, ob ich weiß, was Sie meinen. Ich könnte ohnedies nicht antworten. Aber ich mag es, daß Sie so ernst sind.»

Das waren gewiß lauter kleine Erlebnisse, aber das Merkwürdige ist: sie waren in Tonkas Leben zweimal da, ganz die gleichen. Sie waren eigentlich immer da. Und das Merkwürdige ist, sie bedeuteten später das Gegenteil von dem, was sie anfangs bedeuteten. So gleich blieb sich Tonka, so einfach und durchsichtig war sie, daß man meinen konnte, eine Halluzination zu haben und die unglaublichsten Dinge zu sehen.


## III

Dann kam ein Ereignis, seine Großmutter starb vor der Zeit; Ereignisse sind ja nichts anderes als Unzeiten und Unorte, man wird auf einen falschen Platz gelegt oder vergessen und ist so ohnmächtig wie ein Ding, das niemand aufhebt. Auch was sich viel später ereignete, geschieht tausendfach in der Welt, und bloß daß es mit Tonka geschah, konnte man nicht verstehen.

Es erschien also der Arzt, die Leichengeschäftsleute kamen, der Totenschein wurde geschrieben und Großmama begraben – eins reihte sich in glatter Ordnung ans andere, wie es in einer guten Familie sein muß. Die Verlassenschaft wurde geregelt; man durfte froh sein, sich daran nicht beteiligen zu müssen; bloß ein einziger Punkt des Nachlasses erforderte Aufmerksamkeit, die Versorgung des Fräuleins Tonka mit dem traumhaften Nachnamen, der einer jener tschechischen Familiennamen war, die «Er sang» oder «Er kam über die Wiese» heißen. Es bestand ein Dienstvertrag. Das Fräulein sollte außer Lohn, der gering war, für jedes vollendete Dienstjahr mit einem bestimmten Betrag im Nachlaß bedacht werden, und da man auf ein längeres Leiden Großmamas gerechnet und, den erwarteten Unbilden der Pflege gemäß, den Betrag in langsam wachsenden Stufen festgesetzt hatte, kam es, daß er einem jungen Menschen empörend gering erscheinen mußte, der die aufgeopferten Monate von Tonkas Jugend nach Minuten wog. Er war zugegen, als Hyazinth mit ihr abrechnete. Er las scheinbar in einem

Buch – es waren noch immer die Tagebuchfragmente von Novalis – in Wirklichkeit aber folgte er mit Aufmerksamkeit dem Vorgang und schämte sich, als sein «Onkel» die Summe nannte. Sogar dieser schien etwas Ähnliches zu fühlen, denn er begann ausführlich die Bestimmungen des seinerzeit abgeschlossenen Vertrags dem Fräulein auseinanderzusetzen. Fräulein Tonka hörte mit festgeschlossenen Lippen aufmerksam zu; der Ernst, mit dem sie der Rechnung folgte, gab ihrem jugendlichen Gesicht etwas sehr Rührendes.

«Also stimmt es?» sagte der Onkel und legte das Geld auf den Tisch.

Sie schien wohl überhaupt keine Ahnung zu haben, zog ihr kleines Täschchen aus dem Kleide, faltete das Papiergeld zusammen und schob es hinein; aber da sie die Noten vielmals biegen mußte, machten sie, so wenig ihrer waren, ein dicken Pack und waren nicht unterzubringen; wie eine Geschwulst saß die entstellte Börse unter dem Rock am Bein.

Jetzt hatte das Fräulein noch eine Frage: «Wann muß ich gehen?»

«Ja,» meinte der Onkel, «es wird wohl noch ein paar Tage dauern, bis der Haushalt aufgelöst ist; so lange können Sie gewiß bleiben. Aber Sie können auch früher gehen, wenn Sie wollen, wir brauchen Sie ja nicht mehr.»

«Danke,» sagte das Fräulein und ging auf sein Zimmerchen.

Die andern waren inzwischen mit der Verteilung schon beim täglichen Gebrauch angelangt. Sie waren wie Wölfe, die einen gefallenen Kameraden auffraßen, und hatten sich schon gegenseitig gereizt, als er fragte, ob man nicht dem Fräulein, das so wenig Geld bekommen habe, wenigstens ein wertvolles Andenken geben solle.

«Wir haben Großmamas großes Gebetbuch dafür bestimmt.»

«Nun ja, aber etwas Praktisches würde ihr gewiß mehr Freude machen; was ist denn zum Beispiel mit dem da?» Auf dem Tisch lag ein brauner Pelzkragen, den er hochhob.

«Der ist für Emmi», – Emmi war seine Kusine – «wo denkst du überhaupt hinaus, das ist doch Nerz!»

Er lachte. «Wer sagt, daß man bei armen Mädchen nur der Seele etwas schenken darf? Wollt ihr für knauserig erscheinen?»

«Das laß nur uns über,» meinte jetzt seine Mutter, und weil sie ihm nicht ganz unrecht gab, fuhr sie fort: «Du verstehst es doch nicht; sie wird nicht zu kurz kommen!» Und sie nahm generös und ärgerlich einige Taschentücher, Hemden und Beinkleider der alten

Frau für das Fräulein auf die Seite, dazu ein schwarzes Kleid, dessen Tuch noch neu war. «So, das ist jetzt wohl genug. Gar so verdient hat sich das Fräulein ja nicht gemacht, und sentimental ist sie auch nicht: Weder als Großmama starb, noch beim Begräbnis hat sie auch nur eine Träne im Auge gehabt! Also gib, bitte, Frieden.»

«Es gibt Menschen, die schwer weinen; das ist doch kein Beweis» – antwortete der Sohn, nicht weil es ihn wichtig zu sagen dünkte, sondern weil ihn seine Redegeschicklichkeit reizte.

«Bitte . . .!?» sagte die Mutter. «Fühlst du nicht, daß deine Bemerkungen jetzt nicht am Ort sind?»

Er schwieg auf diese Zurechtweisung nicht aus Scheu, sondern weil es ihn plötzlich unbändig freute, daß Tonka nicht geweint hatte. Seine Verwandten sprachen lebhaft durcheinander und er bemerkte, wie gut sie damit ihren Nutzen wahrten. Sie sprachen nicht schön, aber flink, hatten Mut zu ihrem Schwall, und es bekam schließlich jeder, was er wollte. Redenkönnen war nicht ein Mittel der Gedanken, sondern ein Kapital, ein imponierender Schmuck; während er vor dem Tisch mit Gaben stand, fiel ihm der Vers ein: «Ihm schenkte des Gesanges Gabe, der Lieder süßen Mund Apoll», und er bemerkte zum ersten Mal, daß dies wirklich ein Geschenk sei. Wie stumm war Tonka! Sie konnte weder sprechen noch weinen. Ist aber etwas, das weder sprechen kann, noch ausgesprochen wird, das in der Menschheit stumm verschwindet, ein kleiner, eingekratzter Strich in den Tafeln ihrer Geschichte, ist solche Tat, solcher Mensch, solche mitten in einem Sommertag ganz allein niederfallende Schneeflocke Wirklichkeit oder Einbildung, gut, wertlos oder bös? Man fühlt, daß da die Begriffe an eine Grenze kommen, wo sie keinen Halt mehr finden. Und er ging wortlos hinaus, um Tonka zu sagen, daß er für sie sorgen wolle.

Er traf Fräulein Tonka beim Einpacken ihrer Habe. Auf einem Sessel lag eine große Pappschachtel und am Fußboden standen zwei; eine davon war schon mit Bindfaden verschnürt, aber die beiden andern wollten den herumliegenden Reichtum nicht fassen, und das Fräulein studierte und nahm immer wieder ein Stück heraus, um es anderswo hineinzulegen, Strümpfe und Sacktücher, Schnürstiefel und Nähzeug, der Länge und Breite nach versuchte sie es und konnte, so dürftig ihr Besitz war, niemals alles verstauen, denn ihr Reisegepäck war noch dürftiger.

Die Tür ihres Zimmerchens stand offen, und er vermochte ihr

eine Weile zuzusehen, ohne daß sie es wußte. Als sie ihn bemerkte, wurde sie rot und stellte sich rasch vor die offenen Schachteln. «Sie wollen uns verlassen?» sagte er und freute sich über ihre Verlegenheit. «Was werden Sie machen?»

«Ich fahre nach Hause zur Tante.»

«Wollen Sie dort bleiben?»

Fräulein Tonka zuckte die Achseln. «Ich werde trachten, etwas zu finden.»

«Wird Ihre Tante nicht ungehalten sein?»

«Für ein paar Monate hab ich ja mein Auskommen und bis dahin werde ich schon eine Stellung finden.»

«Dann geht aber Ihr bißchen Ersparnis verloren.»

«Was kann man machen.»

«Und wenn Sie so rasch keine Stellung finden?»

«Dann werde ich es eben wieder alle Augenblick auf dem Teller haben.»

«Auf dem Teller? Was?»

«Nun eben, daß ich nichts verdiene. Das war schon so, als ich im Geschäft war. Ich hab wenig verdient dort, aber ich konnte nichts machen, und sie hat nie etwas gesagt. Bloß wenn sie zornig war, aber dann jedesmal.»

«Und da haben Sie die Stellung bei uns angenommen?»

«Ja.»

«Wissen Sie was,» sagte er plötzlich, «Sie sollen nicht zu Ihrer Tante zurückgehen. Sie werden etwas finden. Ich – werde dafür sorgen.»

Sie sagte nicht ja und nicht nein und nicht danke; aber als er fort war, nahm sie langsam ein Stück ums andere wieder aus den Schachteln heraus und legte es auf seinen Platz zurück. Sie war sehr rot geworden, konnte ihre Gedanken nicht ordnen, schaute oft mit einem Stück in der Hand lange vor sich hin und fühlte: das war jetzt die Liebe.

Er sah jedoch, als er in sein Zimmer zurückgekehrt war, noch immer die Tagebuchfragmente von Novalis auf dem Tisch liegen und war über die Verantwortung betreten, die er plötzlich auf sich geladen hatte. Es war unerwartet etwas geschehen, das sein Leben bestimmen würde und ihm doch gar nicht nahe genug ging. Er war vielleicht in diesem Augenblick sogar mißtrauisch, weil Tonka sein Angebot so ohne weiteres angenommen hatte.

Aber da fiel ihm ein: «Wieso kam ich dazu, es ihr anzubieten? Und er wußte das ebensowenig, wie warum sie es annahm. In ihrem Gesicht war die gleiche Ratlosigkeit gewesen wie in seinem. Die Lage war grausam komisch; wie im Traum irgendwo hinaufgestürzt, fand er nicht mehr hinunter. Aber er sprach nochmals mit Tonka. Er wollte nicht unaufrichtig sein. Sprach von Bewegungsfreiheit, Geist, Zielen, Ehrgeiz, Abneigung gegen den Taubenschlag des Idylls, erwarteten bedeutenden Frauen – wie eben ein sehr junger Mann spricht, der viel will und wenig erlebt hat. Als er in Tonkas Augen ein Zucken gewahrte, tat es ihm leid, und er bat, von der entgegengesetzten Angst, ihr wehzutun, befallen: «Verstehen Sie es nicht falsch!»

«Ich verstehe es ja!» war das einzige, was Tonka antwortete.


## IV

«Sie ist doch ein ganz einfaches Mädchen», hatte man gesagt, «aus dem Tuchgeschäft.» Was heißt das? Auch andere Frauen wissen nichts und haben nichts studiert. Das will etwas hinten ans Kleid heften, ein Zeichen, wo man es nicht entfernen kann. Man muß etwas gelernt haben, muß Grundsätze, muß gesellschaftliche Haltung haben, heißt das, gehalten sein; Mensch ist unzuverlässig. Und wie sahen die aus, die das hatten, die nicht unzuverlässig waren? Er konnte es als möglich zugeben, daß seine Mutter fürchtete, die Leere ihres eigenen Lebens in seinem wiederholt zu sehen; sie hatte nicht stolz genug gewählt; ihr Mann war früher Truppenoffizier gewesen, ein unbedeutender fröhlicher Mann, sein Vater: sie wollte in dem Sohn ihr eigenes Leben verbessern. Sie kämpfte dafür. Er stimmte ihrem Stolz im Grund zu. Warum rührte ihn nicht die Mutter?

Ihr Wesen war Pflicht; ihre Ehe hatte erst einen Inhalt bekommen, als sein Vater erkrankte. Als etwas Soldatisches, eine Wache, die ihren Posten gegen Übermacht verteidigte, stand sie fortan neben dem langsam verblödenden Mann. Bis dahin hatte sie mit Onkel Hyazinth nicht vor noch zurück gekonnt. Er war nicht wirklich ein Verwandter, sondern ein Freund beider Eltern, einer jener Onkel, welche die Kinder vorfinden, wenn sie die Augen aufschlagen; war Oberfinanzrat und nebenher noch ein vielgelesener deutscher Dichter, dessen Erzählungen große Auflagen erreichten. Er brachte der Mutter den Hauch von Geist und Welterfahrenheit, der sie in ihren seelischen Entbehrungen tröstete, war historisch belesen, und seine Gedanken waren daher so beschaffen, daß sie desto größer erschienen, je leerer sie waren, indem sie sich über die Jahrtausende und größten Fragen ausdehnten. Aus Gründen, die dem jüngeren niemals klar geworden waren, hegte dieser Mann seit vielen Jahren eine ausdauernde, bewundernde, selbstlose Liebe zu dessen Mutter; wahrscheinlich weil sie als Offizierstochter von Ehr- und Charaktervorstellungen gehalten und, diese lebhaft ausstrahlend, jene Festigkeit der Grundsätze besaß, die er für die Ideale seiner Bücher brauchte, während ihm dunkel ahnte, daß die Flüssigkeit seiner Rede und Erzählergabe gerade davon kam, daß sie seinem Geist fehlte. Da er das aber naturgemäß nicht als seinen Fehler anerkennen mochte, mußte er es ins Universale, Weltschmerzliche vergrößern und es als Los des reichen Geistes empfinden, solcher Ergänzung durch fremden Starkmut zu bedürfen, so daß es auch für die Frau dabei nicht an schmerzlicher Erhöhung fehlte. Sie maskierten ihr Verhältnis sorgfältig und auch vor sich als geistige Freundschaft, aber es gelang nicht immer, und zuweilen waren sie ganz entsetzt über Hyazinthische Schwächen, die sie in Gefahr brachten und unsicher machten, ob sie nun fallen müßten oder starkmütig zur alten Höhe wieder hinansteigen sollten. Als aber der Gatte erkrankte, war den Seelen der Halt geschenkt, nach dem langend, sie um den einen Zentimeter wuchsen, der zuweilen noch gefehlt hatte. Von da an war die Gattin geschützt durch Pflicht, machte gut durch verdoppelte Pflicht, was etwa noch in Empfindungen gesündigt wurde, und das Denken war durch eine einfache Regel, welche jetzt den Ausschlag gab, vor jenem Schwanken zwischen Verpflichtung zur Größe der Leidenschaft und zur Größe der Treue gesichert, das so besonders unangenehm war.

So sahen also verläßliche Menschen aus, sie zeigten es durch Geist und Charakter. Und mochte in Hyazinths Romanen auch noch so viel Liebe auf den ersten Blick vorkommen, jemand, der ohne weiteres einem Menschen folgte – wie ein Tier, das weiß, wo es trinken darf und wo nicht, – wäre ihnen als ein Wesen erschienen, das sich in einem wilden Urzustand ohne Moral befindet. Der Sohn aber, welcher mit dem tierhaft guten Vater Mitleid fühlte und Hyazinth wie die Mutter gleich der geistigen Pest bei allen kleinen

Gelegenheiten des Familienlebens bekämpfte, hatte sich durch diese beiden in die entgegengesetzteste Ecke der zeitgemäßen Möglichkeiten treiben lassen. Der vielseitig Begabte studierte Chemie und stellte sich taub gegen alle Fragen, die nicht klar zu lösen sind, ja er war ein fast haßerfüllter Gegner solcher Erörterungen und ein fanatischer Jünger des kühlen, trocken phantastischen, Bogen spannenden neuen Ingenieurgeistes. Er war für Zerstörung der Gefühle, war gegen Gedichte, Güte, Tugend, Einfachheit; Singvögel brauchen einen Ast, auf dem sie sitzen, und der Ast einen Baum, und der Baum braunblöde Erde, er aber flog, er war zwischen den Zeiten in der Luft; hinter dieser Zeit, die ebensoviel zerstört wie aufbaut, wird eine kommen, welche die neuen Voraussetzungen hat, die wir mit solcher Askese schaffen, und dann erst wird man wissen, was wir hätten fühlen sollen – so ungefähr dachte er: einstweilen galt es hart und karg sein wie auf einer Expedition. Es hatte bei solchem Antrieb nicht fehlen können, daß er schon auf der Schule den Lehrern aufgefallen war, er hatte die Ideen neuer Erfindungen gefaßt, sollte sich ihrer Ausbildung nach dem Doktorat noch ein bis zwei Jahre widmen und hoffte, dann mit unaufhaltsamer Sicherheit über jenem strahlenden Horizont aufzusteigen, als den junge Leute die aus Glanz und Ungewißheit gemischte Zukunft vor sich sehen. Tonka liebte er, weil er sie nicht liebte, weil sie seine Seele nicht erregte, sondern glatt wusch wie frisches Wasser; er tat es mehr, als er glaubte, und die zuweilen vorsichtig mit scharfer Spitze tastenden Erkundigungen seiner Mutter, welche eine Gefahr ahnte, die sie nicht zur Rede stellen konnte, weil sie keine Gewißheit besaß, trieben ihn zur Eile. Er legte seine Prüfungen ab und verließ das Elternhaus.

V

Sein Weg führte ihn nach einer deutschen Großstadt. Er hatte Tonka mit sich genommen; es wäre ihm zumut geworden, als würde er sie Feinden ausliefern, wenn er sie in der Stadt ihrer Tante und seiner Mutter zurückgelassen hätte. Tonka schnürte ihre Sachen und verließ die Heimat so herzlos, so selbstverständlich, wie der Wind mit der Sonne wegzieht oder der Regen mit dem Wind.

Sie nahm in der neuen Stadt eine Stellung an, in einem Geschäft. Sie begriff die neue Arbeit rasch und wurde täglich dafür gelobt.

Aber warum bekam sie einen unzureichenden Gehalt und bat nie um Erhöhung, obwohl man sie ihr bloß vorenthielt, weil es so eben auch ging? Sie nahm, was ihr fehlte, ohne Bedenken von ihrem Freunde an. Nicht deshalb, sondern weil ihm ihre Bescheidenheit nicht immer paßte, und um sie klüger zu machen, hielt er zuweilen Reden dagegen. «Warum verlangst du nicht, daß er dir eine höher bezahlte Verwendung gibt?!»

«Ich kann nicht.»

«Kannst nicht und behauptest, daß überall, wo etwas nicht stimmt, du helfen mußt?»

«Ja.»

«Nun, warum dann . . .?»

Tonka bekam bei solchen Gesprächen einen störrischen Zug. Sie widersprach nicht, aber sie war Überlegungen nicht zugänglich. «Bitte,» konnte er sagen, «das ist ein Widerspruch, bitte, du mußt mir jetzt erklären, warum . . .»; es half nicht. «Tonka, ich werde bös sein, wenn du so bist!»

Dann erst, wenn er solche Peitsche schwang, setzte sich das kleine Eselsgespann der Bescheidenheit und des Trotzes langsam in Bewegung und zog etwas hervor wie zum Beispiel damals, daß sie eine ungelenke Schrift hatte und auch die Rechtschreibung fürchtete, was sie ihm bisher aus Eitelkeit verschwiegen hatte, so daß nun um den lieben Mund die Angst zuckte und sich erst zum Regenbogen eines Lächelns wölbte, als sie fühlte, daß ihr der häßliche Mangel nicht übelgenommen ward.

Im Gegenteil, er liebte solche Fehler wie den Fingernagel, den sie sich bei der Arbeit verunstaltet hatte. Er ließ sie in die Abendschule gehn und freute sich über die lächerliche kaufmännische Schönschrift, die ihr dort anwuchs. Sogar die verbildeten Urteile über das und jenes, die sie von dort nach Hause trug, waren ihm lieb. Sie trug sie gleichsam im Mund nach Hause, ohne sie zu essen; es lag eine edle Natürlichkeit darin, wie hilflos sie in der Abwehr des Wertlosen war, aber ahnend es sich nicht zu eigen machte. Diese Sicherheit, mit der sie alles Rohe, Ungeistige und Unvornehme auch in Verkleidungen ablehnte, ohne sagen zu können warum, war staunenswert, aber ebensosehr fehlte ihr jedes Streben, aus ihrem Kreis in einen höheren zu gelangen; sie blieb wie die Natur rein und unbehauen. Es war gar nicht so einfach, die Einfache zu lieben. Und zuweilen überraschte sie ihn durch Kenntnisse von Gedanken, die ihr ganz fern liegen mußten; selbst von Chemie; wenn er, vom Beruf ausschwingend, mehr monologisierend als für sie etwas erzählte, wußte sie plötzlich dies oder das. Gleich beim erstenmal hatte er sie natürlich erstaunt gefragt. Der Bruder ihrer Mutter, der bei ihnen in dem kleinen Haus hinter dem Bordell gelebt hatte, war Student gewesen. «Und jetzt?» «Er starb gleich nach den Prüfungen.» «Und das hast du dir gemerkt?» «Ich bin noch klein gewesen,» erzählte Tonka, «aber wenn er gelernt hat, hab ich ihn immer ausfragen müssen. Ich hab kein Wort verstanden, aber er hat mir die Fragen auf einen Zettel geschrieben.» – Schluß. Und länger als zehn Jahre war das wie schöne Steine, deren Namen man nicht weiß, in einem Kästchen gelegen! So war es auch jetzt; während er arbeitete, stumm in der Nähe zu sein, war ihr ganzes Glück. Sie war Natur, die sich zum Geist ordnet; nicht Geist werden will, aber ihn liebt und unergründlich sich ihm anschloß wie eins der vielen dem Menschen zugelaufenen Wesen.

Seine Beziehung zu ihr war damals in einer merkwürdigen Spannung gleich weit von Verliebtheit wie Leichtfertigkeit. Eigentlich waren sie schon in der Heimat auffallend lang ohne Verführung miteinander ausgekommen. Sie hatten sich abends gesehen, gingen miteinander spazieren, erzählten sich die wenigen Erlebnisse des Tages mit ihren kleinen Ärgerlichkeiten, und das war so nett, wie Salz und Brot zu essen. Später hatte er freilich ein Zimmer gemietet, aber nur weil es dazu gehört und auch, weil man im Winter nicht stundenlang in den Straßen sein kann. Dort küßten sie sich zum erstenmal. Etwas steif, es war mehr eine Bekräftigung als ein Genuß, und Tonka hatte vor Aufregung ganz rauhe, harte Lippen. Sie hatten damals auch schon davon gesprochen, «sich ganz anzugehören». Das heißt – er hatte gesprochen und Tonka hatte schweigend zugehört. Lächerlich deutlich, wie begangene Dummheiten sich nicht auslöschen lassen, erinnerte er sich seiner sehr jugendlich lehrhaften Ausführungen darüber, daß es so werde kommen müssen, weil dann erst zwei Menschen sich wirklich einander öffnen, und derart zwischen Gefühl und Theorie schwankten sie. Tonka bat bloß einigemal, es noch um einige Tage hinauszuschieben. Bis er beleidigt frug, ob ihr das Opfer zu groß sei? Da setzten sie einen Tag fest!

Und Tonka war gekommen. In ihrem moosgrünen Jäckchen, in dem blauen Hut mit den schwarzen Puffen, die Wangen von dem raschen Gehn in der Abendluft gerötet. Sie deckt den Tisch, sie richtet den Tee. Nur um ein weniges geschäftiger als sonst, und immer bloß die Gegenstände ansehend, mit denen sie es gerade zu tun hat. Und obgleich er während des ganzen Tages ungeduldig gewartet hat, sitzt er eingeklemmt in die eisige Steife der Jugend auf dem Sofa und sieht ihr zu. Er bemerkte, daß Tonka an das Unabwendbare nicht denken wollte, und es tat ihm leid, daß er dafür einen festen Termin gestellt hatte; wie ein Gerichtsvollzieher! Aber es fiel ihm jetzt erst ein, daß er sie hätte überraschen, es ihr hätte abschmeicheln müssen!

Alle Freude war meilenfern; er scheute sich eher, das Frische anzutasten, das ihm jeden Abend, wenn sie sich sahen, wie ein kühler Wind entgegenwehte. Aber einmal mußte es sein, an diese Notwendigkeit klammerte er sich, und während er die unwillkürlichen Bewegungen Tonkas verfolgte, kam es ihm vor, als wäre sein Gedanke wie ein Seil um ihren Knöchel geschlungen, das bei jeder Wendung kürzer wurde.

Nach dem Mahl, das sie fast ohne zu sprechen eingenommen hatten, setzten sie sich zueinander. Er machte einen Versuch zu scherzen, Tonka machte einen Versuch zu lachen. Aber sie verzog dabei den Mund, als ob sich ihre Lippen spannten, und wurde plötzlich wieder ernst.

Unvermittelt sagte er: «Tonka, ist es dir recht? Soll es dabei bleiben?» Tonka senkte den Kopf, und ihm schien, daß etwas über ihre Augen flog, aber sie sagte nicht ja und sie sagte nicht, ich hab dich lieb, und er beugte sich zu ihr und sprach ihr in seiner Verlegenheit leise zu. «Weißt du, es ist am Anfang viel Ungewohntes, vielleicht sogar Nüchternes. Denk dir, wir dürfen doch nicht . . ., weißt du, es ist doch nicht bloß so . . . Mach dann die Augen zu. Also . . .?»

Das Bett war schon aufgeschlagen, und Tonka ging darauf zu, setzte sich aber plötzlich wieder unentschlossen auf den Stuhl daneben.

Er rief sie an: «. . . Tonka! . . .» Sie stand wieder auf und mit weggewandtem Gesicht begann sie ihre Kleider zu lösen.

Ein undankbarer Gedanke blieb an diesen süßen Augenblick geheftet.

Schenkte sich Tonka? Er hatte ihr keine Liebe versprochen; warum empörte sie sich nicht gegen einen Zustand, der höchste

Hoffnungen ausschloß? Schweigend handelte sie, als würde sie von der Macht des «Herrn» unterjocht; vielleicht würde sie einem andern auch so folgen, der fest will? Aber da stand sie im Ungeschick ihrer ersten Nacktheit; die Haut schloß sich rührend wie ein zu enges Kleid um ihren Körper; sein Fleisch war menschlicher und klüger als das jugendlich überkluge Denken, und Tonka, als ob sie vor ihm flüchten wollte, der in diesem Augenblick auffuhr, schob sich mit einer merkwürdig ungeschickten und ungewohnten Bewegung ins Bett.

Er erinnerte sich dann nur noch, daß er im Vorbeigehen empfand, das Vertrauteste sei auf dem Sessel geblieben, mit den Kleidern, die er so gut kannte; als er daran vorbeikam, stieg der liebe, frische Geruch daraus auf, den er immer als das erste empfunden hatte, wenn sie sich sahen; im Bett erwartete ihn das Unbekannte und Fremde. Er hielt noch einmal ein, und Tonka lag im Bett mit geschlossenen Augen und zur Mauer gewandtem Kopf, endlos lang, in fürchterlich einsamer Angst. Als sie ihn endlich neben sich fühlte, waren ihre Augen warm von Tränen. Es kam dann eine neue Welle der Angst, Entsetzen über ihre Undankbarkeit, ein sinnloses, Hilfe suchendes Wort, durch einen endlosen, einsamen Gang hervorstürzend, verwandelte sich in seinen Namen, und dann – war sie sein geworden; er begriff wohl kaum, wie zauberhaft, wie kindlich tapfer sie sich in ihn stahl, welche einfache List sie sich ausgedacht hatte, um auch alles zu besitzen, was sie an ihm bewunderte: man braucht bloß ganz ihm zu gehören und dann gehört man dazu.

Er erinnerte sich später gar nicht mehr, wie das geschehen war.


VI


Denn am Morgen eines einzigen Tages war alles in ein Dornengerank verwandelt worden.

Es waren schon einige Jahre vergangen, seit sie gemeinsam lebten, als Tonka sich eines Tages schwanger fühlte, aber es war nicht ein beliebiger Tag, sondern der Himmel hatte dafür einen Tag ausgesucht, von dem zurückgerechnet die Empfängnis eigentlich in eine Zeit der Abwesenheit und Reisen fiel, und Tonka wollte ihren Zustand erst bemerkt haben, als sein Beginn schon nicht mehr so genau festzustellen war.

In solcher Lage gibt es Gedanken, die jedem durch den Kopf fliegen; weit und breit war jedoch kein Mann, der ernsthaft hätte in Zusammenhang gebracht werden können.

Einige Wochen später trat das Schicksal noch deutlicher auf: Tonka erkrankte. Es war eine Krankheit, die entweder vom Kind ins Blut der Mutter getragen wird oder ohne diesen Umweg vom Vater; es war eine entsetzliche, schwere, schleichende Krankheit, aber ob sie den näheren oder weiteren Weg genommen hatte, das Merkwürdige war: die erforderliche Zeit stimmte in beiden Fällen nicht genau. Auch war er ja nach menschlichem Ermessen nicht krank, und es verstrickte ihn also entweder ein mystischer Vorgang mit Tonka oder sie hatte gemeine irdische Schuld auf sich geladen. Es gab freilich auch andere natürliche Möglichkeiten – theoretische, platonische, wie man sagt –, aber praktisch war ihre Wahrscheinlichkeit so gut wie Null; praktisch war die Wahrscheinlichkeit, daß er weder der Vater von Tonkas Kind noch der Urheber ihrer Krankheit war, gleich der Gewißheit.

Man verweile einen Augenblick, um zu verstehen, wie schwer er es begriff. Praktisch! Kommst du zu einem Kaufmann und eröffnest nicht eine Aussicht, die bald seine Begehrlichkeit reizt, sondern hältst ihm eine lange Rede über die Zeiten und das, was ein reicher Mann eigentlich tun müßte, so weiß er, du bist gekommen, um ihm sein Geld zu stehlen. Er wird sich nie irren darin, obgleich du ja auch gekommen sein könntest, um ihm Belehrung zu schenken. Ebenso ist ein Richter nicht einen Augenblick im Zweifel, wenn ihm der Angeklagte erzählt, daß er das bei ihm gefundene Beweisstück von einem «unbekannten Mann» erhalten habe. Und doch wäre einmal ja auch das möglich. Aber Handel und Wandel ruhen darauf, daß man nicht mit allen Möglichkeiten zu rechnen braucht, weil die äußersten praktisch nicht vorkommen. Theoretisch hingegen? Der alte Arzt, zu dem er Tonka anfangs gebracht hatte, nachdem er allein bei ihm zurückgeblieben war, hatte die Achseln gezuckt: Möglich? Gewiß unmöglich nicht – er hatte gute, hilflose Augen, aber er schien sagen zu wollen: Halten wir uns nicht dabei auf, es liegt unter der für menschliches Ermessen nötigen Wahrscheinlichkeit. Auch ein Gelehrter ist ein Mensch, und ehe er etwas annimmt, das medizinisch ganz unwahrscheinlich ist, nimmt er lieber einen menschlichen Fehler als Ursache an; in der Natur sind die Ausnahmen selten.

*Die ersten Taschenbücher ...*

... kamen vor 450 Jahren auf den Markt. Zu Beginn des 16. Jahrhunderts wurden die schweren, dickleibigen und teuren Folianten mehr und mehr von handlichen Büchern verdrängt. In England bemühte sich Wynkon de Worde, der Nachfolger des ersten englischen Buchdruckers William Caxton, Bücher allein nach dem Gesichtspunkt der Verkäuflichkeit herzustellen; er gab etwa 800 Titel im Quartformat heraus, einfach in der Aufmachung, niedrig im Preis. Aldus in Venedig errang zur selben Zeit Ruhm mit seinen billigen, guten Klassikerausgaben im Oktavformat, also mit regelrechten Taschenbüchern.

Noch vor 1550 wurden in Paris und Lyon Bücher sogar im halben Oktavformat gebunden. Christoph Plantin in Antwerpen und die Elzeviers in Leyden stellten noch kleinere Bücher her.

Die «Taschenbücher» wurden auf dünnes Papier gedruckt; für die Einbände wurde Karton verwendet statt der sonst üblichen Holzplatte.

In einigem aber unterschieden sich die Oktavbände von unseren Taschenbüchern: Sie wurden gebunden statt broschiert, sie wurden im Buchdruck statt im Offsetverfahren hergestellt und – sie hatten keine Anzeigen.

Letzteres mag als Vorzug gelten; man darf indes nicht übersehen, daß auch die Werbung im Taschenbuch dazu beiträgt, die Bücher so billig wie möglich zu machen.

Betrachten Sie daher bitte mit Nachsicht und Wohlwollen diese Anzeige, die Ihnen den Hinweis gibt auf eine beliebte und vorteilhafte Sparform.

Es war also das nächste eine Art medizinische Prozeßsucht. Er wurde Gast bei vielen Ärzten. Der zweite Arzt schloß ebenso wie der erste, und der dritte wie der zweite. Er feilschte. Er trachtete Auffassungen medizinischer Schulen gegeneinander auszuspielen. Die Herren hörten ihm schweigend zu oder auch liebevoll lächelnd wie einem Narren und unverbesserlichen Dummkopf. Und natürlich wußte er selbst, während er redete, er hätte ebensogut fragen können: ist eine jungfräuliche Zeugung möglich? Und man hätte ihm nur zu antworten vermocht: sie war noch nie da. Nicht einmal ein Gesetz hätte man angeben können, das sie ausschloß; bloß: sie war noch nie da. Und doch wäre er ein unverbesserlicher Hahnrei, wollte er sich das einbilden!

Vielleicht hatte ihm das auch einer ins Gesicht gesagt, mit dem er sprach, oder es war ihm doch nur selbst durch den Kopf gefahren, es hätte ihm jedenfalls selbst einfallen können. Aber gerade weil man nicht einen Kragenknopf schließen könnte, wollte man zuvor alle möglichen Fingerkombinationen durchdenken, stand während der ganzen Zeit neben der Gewißheit seines Verstandes eine andere Unmittelbarkeit: Tonkas Gesicht. Man geht zwischen Kornfeldern, man fühlt die Luft, die Schwalben fliegen, in der Ferne die Türme der Stadt, Mädchen mit Liedern . . . man ist fern aller Wahrheit, man ist in einer Welt, die den Begriff Wahrheit nicht kennt. Tonka war in die Nähe tiefer Märchen gerückt. Das war die Welt des Gesalbten, der Jungfrau und Pontius Pilatus, und die Ärzte sagten, daß Tonka geschont und gepflegt werden müßte, sollte sie ihren Zustand überdauern.

## VII

Er versuchte natürlich trotzdem von Zeit zu Zeit, Tonka das Geständnis zu entreißen; dazu war er ja ein Mann und kein Narr. Aber sie ging damals in ein großes häßliches Geschäft, das in einem Arbeiterviertel lag; morgens mußte sie um sieben Uhr dort sein und abends verließ sie es – oft wegen einiger Pfennige, die ein verspäteter Kunde hineintrug – nicht vor halb zehn; sie sah die Sonne nicht, nachts schliefen sie getrennt, und man ließ ihnen keine Zeit für ihre Seele. Sie mußten selbst für dieses dürftige Leben bangen, wenn man die Schwangerschaft merkte, denn sie waren damals schon in

Geldverlegenheit geraten; er hatte die Mittel für seine Studien verbraucht und Geld zu verdienen war er nicht imstande; es ist das am Anfang einer wissenschaftlichen Laufbahn besonders schwer, und er war der Lösung seiner Aufgabe, ohne sie schon erreicht zu haben, so nahe gekommen, daß er aller Kraft für das letzte Erreichen bedurfte. Tonka war bei diesem Leben ohne Licht und voll Sorgen hingewelkt und sie verblühte natürlich nicht schön wie manche Frauen, die Berauschendes ausströmen, wenn sie verfallen, sondern sie welkte unscheinbar wie ein kleines Küchenkraut, das gilbt und häßlich wird, sobald die Frische seines Grüns verloren ist. Ihre Wangen blaßten und fielen ein, dadurch sprang die Nase groß aus dem Gesicht, der Mund erschien breit und sogar die Ohren standen etwas weg; auch der Körper magerte ab, und wo früher biegsame Fülle des Fleisches gewesen war, blickte jetzt ein ländlicher Knochenbau durch. Er, dessen wohlerzogenes Gesicht dem Kummer besser widerstand und dessen Vorrat an guten Kleidern länger vorhielt, merkte, wenn er mit ihr ausging, den erstaunten Blick manches Vorübereilenden. Und weil er nicht ohne Eitelkeit war, brachte es ihn gegen Tonka auf, daß er ihr keine schönen Kleider kaufen konnte; er war wegen ihrer Dürftigkeit, an der er die Schuld trug, böse auf sie, aber wahrhaftig, er hätte ihr, wenn er gekonnt hätte, zuvor schöne wolkige Umstandskleider geschenkt und sie dann erst zur Rede gestellt wegen ihrer Untreue. Sobald er versuchte, ihr das Geständnis zu entreißen, leugnete Tonka. Sie wußte nicht, wie es gekommen war. Wenn er um ihrer alten Freundschaft willen bat, ihn doch nicht zu belügen, trat ein gequälter Zug in ihr Gesicht, und wenn er heftig wurde, sagte sie bloß, sie lüge nicht, und was sollte man da noch tun? Hätte er sie prügeln und beschimpfen sollen oder sie in ihrer furchtbaren Lage verlassen? Er schlief nicht mehr bei ihr, aber auf die Folter gelegt, hätte sie nichts bekannt, schon deshalb nicht, weil sie kein Wort über die Lippen brachte, seit sie sein Mißtrauen merkte, und dieser törichte Eigensinn war, seit seine Einsamkeit nicht mehr durch Liebreiz gemildert wurde, erst recht entwaffnend. Er mußte zäh und lauernd sein.

Er hatte sich entschlossen, seine Mutter um Geldhilfe zu bitten. Aber der Vater lag seit langem zwischen Leben und Sterben, und alles verfügbare Geld war dadurch gebunden; er konnte es nicht prüfen, wenn er auch wußte, daß seine Mutter sich vor der Möglichkeit ängstigte, er könnte mit der Zeit Tonka heiraten wollen. Ja, sie

ängstigte sich schon davor, daß andere Heiraten niemals zustande-
kommen würden, weil Tonka dazwischen war; und als alles sich
dehnte, die Studien, der Erfolg, die Krankheit des Vaters und die
Sorgen im Haushalt, war näher oder ferner daran Tonka schuld, die
nicht bloß als die erste Ursache unseliger Verkettungen empfunden
wurde, sondern geradezu als ein böses Zeichen, das Unglück vorbe-
deutete, indem zum erstenmal durch sie der gewöhnliche Ablauf des
Lebens gestört worden war. In Briefen und bei Besuchen im Elternhaus war diese unklare Überzeugung durchgebrochen, die im
Grunde aus nichts bestand als der Ahnung eines Familienmakels,
weil der Sohn «von so einem Mädchen» sich tiefer binden ließ, als es
sonst bei jungen Männern üblich ist. Hyazinth mußte warnen, und
als der Junge, betroffen von diesem uneingestandenen Aberglauben
und an seine eigenen unvernünftigen, schmerzlichen Erlebnisse
erinnert, heftig ablehnte, war Tonka ein «pflichtvergessenes Mädchen» genannt worden, das den Frieden einer Familie nicht achtete,
und linkische Anspielungen auf «sinnliche Künste», mit denen sie
ihn «in Banden halte», kamen mit der ganzen Lebensunerfahrenheit
der anständigen Mütter zutage. – Sie hatten auch jetzt durch die
Antwort geblickt, die er erhielt, als ob jeder Pfennig, solange er ihn
mit Tonka verband, nur seinem Unglück dienen würde. Da entschloß er sich, noch einmal zu schreiben und sich als Vater von
Tonkas Kind zu bekennen.

Als Antwort kam seine Mutter selbst.

Sie kam, «um die Verhältnisse zu ordnen».

Sie betrat nicht seine Wohnung, als müßte sie fürchten, dort auf
Unerträgliches zu stoßen, und beschied ihn ins Hotel. Eine leichte
Verlegenheit hatte sie mit Pflichtbewußtsein abgeschüttelt und
sprach von der großen Sorge, die er ihnen bereite, von der Gefahr
für das Leiden seines Vaters und von Fesseln fürs Leben; ungeschickt durchtrieben zog sie alle Bälge des Gemüts, aber ein Ton der
Nachsicht, der dabei nicht von den Worten wich, bewahrte ihr die
mißtrauische Neugierde ihres von der durchschauten Herzenslist
gelangweilten Zuhörers. «Denn», sagte sie, «es könnte dieser Un-
glücksfall ja geradezu noch zum Glück ausschlagen, und man wäre
dann» – sagte sie – «mit dem Schreck davongekommen: es gelte nur,
die Zukunft vor der Wiederkehr solcher Ereignisse zu schützen!»
Sie habe deshalb den Vater trotz aller Schwierigkeiten bewogen,
eine gewisse Summe zu opfern. Man werde damit, eröffnete sie

wie eine große Güte, das Mädchen samt den Ansprüchen des Kindes abfinden.

Zu ihrer eigenen Überraschung fragte ihr Sohn ruhig nach der Höhe des Angebots, hörte es sich an, schüttelte dann noch ruhiger den Kopf und sagte bloß: «Es geht nicht.»

Von Hoffnung befeuert, erwiderte sie: «Es muß gehen! Sei nicht verblendet; viele junge Leute machen ähnliche Dummheiten, aber sie lassen es sich gesagt sein. Es ist gerade jetzt eine gute Gelegenheit, dich frei zu machen, lasse sie nicht aus falschem Ehrgefühl ungenützt, du schuldest es dir und uns!»

«Wieso eine gute Gelegenheit?»

«Gewiß. Das Mädchen wird vernünftiger sein als du; es wird wissen, daß man solche Verhältnisse immer löst, wenn ein Kind da ist.»

Da verschob er die Antwort auf den nächsten Tag. Es hatte etwas in ihm gezündet.

Seine Mutter, die Ärzte mit dem Lächeln der Vernunft, das glatte Laufen der Untergrundbahn am Weg zu Tonka, der Schutzmann mit den festen, das Chaos regelnden Gebärden, der donnernde Wasserfall der Stadt: das war alles eins; er stand in dem einsamen Hohlraum darunter – unbenetzt, aber abgeschnitten.

Er fragte Tonka, ob sie es tun würde.

Tonka sagte: Ja. Fürchterlich zweideutig war dieses Ja. So vernünftig, wie die Mutter es vorausgesagt hatte, aber um den Mund, der es sprach, zuckte die Verwirrung.

Da sagte er seiner Mutter ungefragt am nächsten Tag ins Gesicht, daß er vielleicht gar nicht der Vater von Tonkas Kind sei, daß Tonka krank sei, aber daß er sich trotzdem eher selbst für krank und den Vater halten wolle, als Tonka verlassen.

Es lächelte seine Mutter machtlos vor so viel Verblendung, sah ihn zärtlich an und ging. Er wußte, sie hatte nun den großen Schwung erhalten, ihr Fleisch und Blut vor dem Makel zu schützen, und ein mächtiger Feind war ihm verbündet.

## VIII

Endlich verlor Tonka ihre Stellung; es hatte ihn fast schon beunruhigt, daß dieses Unglück solang nicht gekommen war. Der Geschäftsmann, bei dem Tonka diente, war ein kleiner, häßlicher

Mensch, aber in ihrer Not war er ihnen wie eine übermenschliche Macht erschienen. Wochenlang hatten sie beratschlagt; er muß alles schon wissen, aber er ist doch ein anständiger Kerl, der nicht eigens noch stößt, wenn eins im Unglück ist; dann wieder: er merkt es nicht; Gott sei Dank, er hat es überhaupt noch nicht bemerkt! Aber eines Tages wurde Tonka ins Kontor gerufen und rund heraus gefragt, wie es mit ihr stünde. Sie brachte keine Antwort hervor, bloß die Tränen traten ihr in die Augen. Und den vernünftigen Mann rührte es nicht, daß sie nicht sprechen konnte; er zahlte ihr den Gehalt für einen Monat aus und entließ sie auf der Stelle. So böse war er geworden, daß er donnerte, er sei jetzt verlegen um einen Ersatz, und es sei Betrug von Tonka gewesen, ihren Zustand zu verheimlichen, als sie die Stellung annahm; nicht einmal das Kontorfräulein schickte er hinaus, als er ihr das sagte. Tonka kam sich danach sehr schlecht vor, aber auch er bewunderte heimlich diesen schäbigen, kleinen, namenlosen Kaufmann, der nicht eine Minute lang geschwankt hatte, seinem Geschäftswillen Tonka zu opfern, und mit ihr ihre Tränen, ein Kind und weiß Gott welche Erfindungen, welche Seelen, welches Menschenschicksal, denn das alles wußte er ja nicht und fragte nicht danach.

Sie mußten jetzt in kleinen Speisewirtschaften essen, für wenige Pfennige zwischen Schmutz und Grobheit eine Kost, die er nicht vertrug. Er holte Tonka zu diesen Mahlzeiten ab, pünktlich, in Erfüllung einer Pflicht. Er machte eine sonderbare Figur in seinen vornehmen Kleidern zwischen den Gehilfen und Geschäftsdienern, ernst, schweigsam, treu zur Seite seiner schwangeren Gefährtin und unzertrennlich. Viele spöttische Blicke flogen ihm zu, und manche anerkennende, die nicht weniger brannten. Es war ein seltsames Wandeln, mit seiner Erfindung im Kopf und der Überzeugung von Tonkas Untreue, zwischen dem groben Menschenschotter der Großstadt. Er hatte noch nie so stark wie jetzt die Gemeinbürgschaft der Welt empfunden; wo er nur über Straßen ging, jagte und jappte es wie eine Meute lärmender Hunde; jeder voll Einzelgier, aber doch alle ein Rudel, und bloß er hatte keinen, den er um Unterstützung bitten oder dem er auch nur sein Schicksal hätte erzählen können; er hatte nie Zeit für Freunde gehabt, wohl auch keinen Geschmack an ihnen oder keinen Reiz für sie: er war belastet von seinen Ideen, und das ist ein lebensgefährliches Gewicht, solange die Menschen noch nicht ausgespürt haben, daß sie ihre

Vorteile daraus münzen können. Er wußte nicht einmal eine Richtung, in der er nach Hilfe hätte suchen können; er war fremd. Und wer war Tonka? Geist von seinem Geiste? Nein, in zeichenhafter Übereinstimmung war sie ein fremdes Geschöpf mit seinem verhohlenen Geheimnis, das sich ihm zugesellt hatte!

Ein kleiner Spalt mit fernem Schimmer war offen, seine Gedanken begannen die Richtung hin zu nehmen. Er arbeitete an einer Erfindung, deren Bedeutung schließlich auch für die andern groß sein würde, und da war es sicher, daß außer dem Denken noch etwas dabei war, ein Mut, eine Zuversicht und Ahnung, die nie trogen, ein gesunder Lebenssinn, der ein Stern war, dem er folgte. Da ging auch er nur den größeren Wahrscheinlichkeiten nach, und stets fand sich bei einer von ihnen das Rechte; er vertraute, alles wird schon so sein, wie es immer ist, um auf das eine zu kommen, dessen Anderssein er entdecken wollte, und hätte er jeden möglichen Zweifel so prüfen wollen, wie er mit Tonka tat, so wäre er niemals zum Ende gekommen: Denken heißt, nicht zuviel denken, und ohne etwas Verzicht auf das Grenzenlose der Erfindungsgabe läßt sich keine Erfindung machen. Diese eine Hälfte seines Lebens schien unter dem Stern zu stehen, der unbeweisbares Glück oder ein Geheimnis war. Und die andere war unerleuchtet. Er spielte jetzt mit Tonka in der Pferdelotterie. Die Ziehungsliste erschien, er hatte Tonka erwartet, unterwegs wollten sie das Verzeichnis kaufen und lesen. Es handelte sich um eine elende Pferdelotterie mit einem Haupttreffer von wenigen tausend Mark; aber das machte nichts, er hätte für die nächste Zukunft sorgen können. Und wenn es nur ein paar hundert Mark gewesen wären, so hätte er Tonka das Nötigste an Kleidern und Wäsche kaufen oder sie aus ihrer ungesunden Mansarde befreien können. Und wären es nur zwanzig Mark gewesen, so würde das eine Ermunterung sein, und er hätte neue Lose gekauft. Ja selbst wenn sie nur fünf Mark gewonnen hätten, so wäre dies ein Zeichen gewesen, daß der Versuch, wieder Anschluß an das Leben zu gewinnen, in unbekannten Gegenden wohlgelitten war.

Aber alle drei Lose waren Nieten. Natürlich hatte er sie da nur zum Scherz gekauft, und schon als er auf Tonka wartete, war eine Leere in ihm, die einen Fehlschlag ankündigte; aber wahrscheinlich hatte er doch zwischen Wünschen und Hoffnungslosigkeit geschwankt, oder geschah es, weil selbst zwanzig Pfennige für eine nutzlose Liste in seinem Zustand einen Verlust bedeuteten: er empfand plötzlich, daß es eine unsichtbare Macht gab, die ihm übel wollte, und fühlte sich von Feindseligkeit umgeben.

Er wurde in der Folge recht abergläubisch; der Mensch in ihm, der abends Tonka abholte, wurde es, während der andere wie ein Gelehrter arbeitete. Er besaß zwei Ringe, die er aber nur abwechselnd trug. Beide waren kostbar, aber der eine war edel und alt, während der andere ein Geschenk seiner Eltern war, das er nie sehr in Ehren gehalten hatte. Da bemerkte er, daß er an den Tagen, wo er den neuen Ring trug, der nichts als ein teurer Allerweltsring war, vor neuen Verschlimmerungen seiner Lage eher bewahrt blieb als an den Tagen, wo er den edlen trug, und von da an traute er sich nicht mehr, diesen an den Finger zu stecken, sondern trug den andern wie ein auferlegtes Joch. Auch als er sich eines Tages zufällig nicht rasierte, hatte er Glück; als er es am nächsten Tage tat, obgleich ihn die Beobachtung gewarnt hatte, strafte ein neues seiner kleinen niedrigen Unglücke – die nur in seiner Lage Unglück statt Lächerlichkeit waren – den Verstoß: von da an konnte er sich nicht entschließen, seinem Bart etwas zu tun; er wuchs, wurde bloß sorgfältig spitz geschnitten, und er trug ihn während aller traurigen Wochen, die noch kamen. Dieser Bart entstellte ihn, aber er war wie Tonka: je häßlicher, desto ängstlicher behütet. Vielleicht wurde sein Gefühl für sie desto zärtlicher, je tiefer es enttäuscht war, denn es war innerlich ein so guter Bart, weil er äußerlich so häßlich war. Tonka mochte den Bart nicht und verstand ihn nicht. Er hätte ohne sie gar nicht gewußt, wie häßlich dieser Bart war, denn man weiß von sich so wenig, wenn man nicht andere hat, in denen man sich spiegelt. Und da man nichts weiß, wünschte er Tonka vielleicht zuweilen tot, damit dieses unerträgliche Leben ein Ende finde, und mochte den Bart bloß deshalb, weil er alles verstellte und verbarg.

## IX

Zuweilen überfiel er sie noch immer aus dem Hinterhalt mit einer geheuchelt arglosen Frage, auf deren glattem Klang ihre Vorsicht ausgleiten sollte. Häufiger aber überfiel es ihn. «Es ist ja ganz unsinnig, die Tatsache zu leugnen, also sag mir nur, damit wieder Aufrichtigkeit zwischen uns ist, wie konnte es geschehen?» fragte er einflüsternd. Aber sie hatte immer die eine Antwort: schick mich fort, wenn du mir nicht glauben willst; und das war gewiß ein Mißbrauch ihrer Schutzlosigkeit, aber es war ebenso gewiß auch die allerwahrste Antwort, denn mit medizinischen und philosophischen Gründen konnte sie sich nicht verteidigen und vermochte für die Wahrheit ihrer Worte nur mit der Wahrheit ihrer Person einzustehn.

Dann begleitete er sie bei ihren Ausgängen, weil er sich nicht traute, sie allein zu lassen; er fürchtete nicht etwas Bestimmtes, aber es beunruhigte ihn, sie allein in den weiten, fremden Straßen zu wissen. Und wenn er sie abends irgendwo abholte, und sie gingen, und im Halbdunkel begegnete ihnen ein Mann, der nicht grüßte, so kam es vor, daß er bekannt erschien, und Tonka wurde scheinbar rot, und mit einemmal war die Erinnerung da, daß sie sich früher einmal bei irgendeiner Gelegenheit in seiner Gesellschaft befunden hatten, und zugleich war auch – mit der gleichen Gewißheit, wie sie Tonkas unschuldigem Gesicht zukam – die Überzeugung da: dieser war es! Einmal schien es ein wohlhabender Volontär aus einem Exportgeschäft zu sein, den sie flüchtig gekannt hatten, und ein andermal ein Tenor aus einem Chantant, der die Stimme verloren hatte und bei der gleichen Wirtin wohnte wie Tonka. Stets waren es solche lächerlich ferne Gestalten, die wie ein verschnürtes schmutziges Paket in die Erinnerung geworfen wurden, das die Wahrheit enthielt und beim ersten Versuch es aufzuschnüren nichts als den Staubhaufen quälender Ohnmacht hinterließ.

Diese Gewißheiten über Tonkas Untreue hatten etwas von Träumen. Tonka ertrug sie mit ihrer rührenden, wortlos zärtlichen Demut: aber was konnte diese nicht alles bedeuten!? Und wenn man dann alle Erinnerungen durchging, wie waren alle zweideutig! Die einfache Art zum Beispiel, wie sie ihm zugelaufen war, konnte Gleichgültigkeit sein oder Sicherheit des Herzens. Wie sie ihm diente, war Trägheit oder Seligkeit. War sie anhänglich wie ein Hund, so mochte sie auch jedem Herrn folgen wie ein Hund! Das hatte er doch gleich in jener ersten Nacht empfunden, und war es auch ihre erste Nacht? Er hatte nur auf die seelischen Zeichen geachtet und keinesfalls waren die körperlichen sehr merklich gewesen. Jetzt war es zu spät. Ihr Schweigen war jetzt über alles gebreitet und vermochte Unschuld oder Verstocktheit zu sein, ebensogut List und Leid, Reue, Angst; aber auch Scham für ihn. Doch hätte es ihm nicht geholfen, wenn er auch alles noch einmal hätte erleben können. Mißtraue einem Menschen, und die deutlichsten Anzeichen der Treue werden geradezu Zeichen der Untreue sein, traue ihm, und handgreifliche Beweise der Untreue werden zu Zeichen einer verkannten, wie ein von den Erwachsenen ausgesperrtes Kind weinenden Treue. Es war nichts für sich zu deuten, eines hing von dem andern ab, man mußte dem Ganzen trauen oder mißtrauen, es lieben oder für Trug halten, und Tonka kennen, hieß in einer bestimmten Weise auf sie antworten müssen, ihr entgegenrufen, wer sie sei; es hing fast nur von ihm ab, was sie war. Tonka verwirrte sich dann sanft blendend wie ein Märchen.

Und er schrieb an seine Mutter: Ihre Beine sind vom Boden bis zu den Knien so lang wie von den Knien nach oben, und überhaupt sind sie lang und können gehen wie Zwillinge, ohne zu ermüden. Ihre Haut ist nicht fein, aber sie ist weiß und ohne Makel. Ihre Brüste sind fast ein wenig zu schwer, und unter den Armen trägt sie dunkle, zottige Haare; das sieht an dem schlanken, weißen Körper lieblich zum Schämen aus. An den Ohren hängt ihr Haar in Strähnen herab, und zuweilen glaubt sie es brennen und hoch frisieren zu müssen; dann sieht sie wie ein Dienstmädchen aus, und das ist gewiß das einzig Böse, was sie in ihrem Leben getan hat . . .

Oder er antwortete seiner Mutter: Zwischen Ancona und Fiume oder wohl auch zwischen Middelkerke und einer unbekannten Stadt steht ein Leuchtturm, dessen Licht allnächtlich wie ein Fächerschlag übers Meer blinkt; wie ein Fächerschlag, und dann ist nichts, und dann ist wieder etwas. Und im Vennatal auf den Wiesen steht Edelweiß.

Ist das Geographie oder Botanik oder Nautik? Das ist ein Gesicht, das ist etwas, das da ist, einzig und allein und ewig da ist, und deshalb gleichsam nicht da ist. Oder was ist das?

Er schickte diese unsinnigen Antworten natürlich niemals ab.

## X

Etwas Ungreifbares fehlte, um die Überzeugung zur Überzeugung zu machen.

Er war einmal nachts mit der Mutter und Hyazinth gereist, und so um zwei Uhr, in der rücksichtslosen Müdigkeit, wenn die Körper im Eisenbahnzug schwanken und nach Unterstützung suchen, schien es ihm, daß seine Mutter sich an Hyazinth lehnte, voll Einverständnis, und Hyazinth faßte ihre Hand. Seine Augen waren weit geworden vom Zorn damals, denn sein Vater tat ihm leid; aber als er sich vorbeugte, saß Hyazinth allein und seine Mutter hatte den Kopf zu der von ihm abgewandten Seite geneigt. Und nach einer Weile, als er sich wieder zurückgelehnt hatte, wiederholte sich das Ganze. So groß war die durch das ungenaue Sehen hervorgerufene Qual oder so ungenau durch die Qual in der Dunkelheit das Sehen. Er sagte sich schließlich, daß er nun doch überzeugt sei, und nahm sich vor, seine Mutter am Morgen zur Rede zu stellen; aber als der Tag schien, war das verflogen wie die Dunkelheit. Und ein anderes Mal war die Mutter auf einer Reise unwohl geworden, und Hyazinth, der an ihrer Statt dem Vater schreiben mußte, fragte unlustig: was soll ich denn schreiben? – er, welcher der Mutter bogenlange Episteln bei jeder Trennung schrieb! –: da gab es Zank, denn der Junge war wieder böse geworden, das Unwohlsein seiner Mutter verschlimmerte sich, schien gefährlich zu werden, man mußte helfen, Hyazinths Hände kreuzten dabei immerzu die Wege der seinen, und immerzu stieß er sie weg. Solange, bis Hyazinth fast traurig fragte: «Warum stößt du mich denn fortwährend weg?» Da war er über den Ton des Unglücks in dieser Stimme erschrocken. So wenig weiß man, was man weiß, und will man, was man will.

Das kann man begreifen; jedoch er vermochte in seinem Zimmer zu sitzen, von Eifersucht gequält zu sein und sich zu sagen, daß er gar nicht eifersüchtig war, sondern etwas anderes, Entlegenes, merkwürdig Erfundenes; er, dessen eigene Gefühle das waren. Wenn er aufsah, fehlte nichts. Die Tapete des Zimmers war grün und grau. Die Türen waren rötlich braun und voll still spiegelnder Lichter. Die Angeln der Türen waren dunkel und aus Kupfer. Ein weinroter Samtstuhl stand im Zimmer und hatte eine braune Mahagonirahmung. Aber alle diese Dinge hatten etwas Schiefes, Vornübergeneigtes, fast Fallendes in ihrer Aufrechtheit, sie erschienen ihm unendlich und sinnlos. Er drückte seine Augen, sah umher, aber es waren nicht die Augen. Es waren die Dinge. Von ihnen galt, daß der Glaube an sie früher da sein mußte als sie selbst; wenn man die Welt nicht mit den Augen der Welt ansieht und sie schon im Blick hat, so zerfällt sie in sinnlose Einzelheiten, die so traurig getrennt voneinander leben wie die Sterne in der Nacht. Er brauchte nur zum Fenster hinauszusehen, so schob sich plötzlich in die Welt eines unten wartenden Droschkenkutschers die eines vorübergehenden Beamten und es entstand etwas Aufgeschnittenes, ein ekelhaftes Durcheinander, Ineinander und Nebeneinander auf der Straße, ein Wirrwarr von bahnenziehenden Mittelpunkten, um deren jeden ein Kreis von Weltgefallen und Selbstvertrauen lag, und das alles waren Hilfen, um aufrecht durch eine Welt zu gehen, der das Oben und Unten fehlte. Wollen, Wissen und Fühlen sind wie ein Knäuel verschlungen; man merkt es erst, wenn man das Fadenende verliert; aber vielleicht kann man anders durch die Welt gehen als am Faden der Wahrheit? In solchen Augenblicken, wo ihn von allen ein Firnis der Kälte trennte, war Tonka mehr als ein Mädchen, da war sie fast eine Sendung.

Er sagte sich: entweder muß ich Tonka zur Frau nehmen oder sie und diese Gedanken verlassen.

Aber niemand wird es ihm übelnehmen, daß er aus solchen Gründen weder das eine noch das andere tat. Denn alle solche Gedanken oder Eindrücke mögen ja ihre Berechtigung haben, doch zweifelt heute niemand, daß sie zur Hälfte nur Gespinst sind. Also dachte er sie und dachte sie nicht ganz ernst. Er kam sich wohl manchmal wie geprüft vor, aber wenn er erwachte und zu sich wieder wie zu einem Manne sprach, mußte er sich sagen, daß solche Prüfung doch nur in der Frage bestand, ob er gegen die neunundneunzig Prozent Wahrscheinlichkeit, daß er betrogen worden und ein Dummkopf sei, gewaltsam am Tonka glauben wolle. Allerdings hatte diese beschämende Möglichkeit schon viel von ihrer Wichtigkeit verloren.

## XI

Es war merkwürdigerweise eine Zeit großer wissenschaftlicher Erfolge für ihn. Er hatte seine Aufgabe in den Hauptzügen gelöst und bald mußten sich auch die Folgen zeigen. Schon fanden Menschen zu ihm den Weg. Sie brachten ihm Herzenssicherheit, wenn sie auch von Chemie sprachen. Sie glaubten alle an die Wahrscheinlichkeit seines Erfolges; neunundneunzig Prozent betrug sie schon! Und er betäubte sich mit Arbeit.

Aber während seine bürgerliche Person sich festigte und gleichsam in einen Reifezustand der Weltlichkeit eintrat, liefen seine Gedanken, sobald er von der Arbeit abließ, nicht mehr in festen

Bahnen, sondern es brauchte in ihm bloß Tonkas Dasein anzuklingen, und ein Leben von Figuren begann, die einander ablösten, ohne ihren Sinn zu verraten, wie Unbekannte, die sich täglich auf dem gleichen Wege begegnen. Da war der Kommis-Tenor, den er einmal im Verdacht der Untreue gehabt hatte, und alle, an die sich je eine Gewißheit knüpfte. Sie taten nicht viel, sie waren bloß da; oder wenn sie selbst das Fürchterlichste taten, bedeutete es nicht viel; und weil sie manchmal zwei oder noch mehr in einer Person waren, konnte man gar nicht einfach eifersüchtig sein, sondern es wurden diese Geschehnisse so durchsichtig wie klarste Luft und noch klarer bis zu einer jeder Selbstsucht ledigen Freiheit und Leere, unter deren unbeweglichen Kuppel die Zufälle des Weltlebens sich winzig abspielten. Und oft wurden das Träume oder vielleicht waren es ursprünglich Träume gewesen, über deren blasse Schattenwelt er unmittelbar aufstieg, wenn die Schwere der Arbeit sich löste, als sollte er gewarnt sein, daß diese Arbeit nicht sein eigentliches Leben war.

Diese wirklichen Träume lagen auf einer tieferen Stufe als sein Wachen; sie waren warm wie niedrige bunte Stuben. In ihnen wurde Tonka von der Tante herzlos gescholten, weil sie bei Großmamas Begräbnis nicht geweint hatte, oder es bekannte ein häßlicher Mensch, der Vater von Tonkas Kind zu sein, und sie, fragend angeblickt, leugnete zum ersten Mal nicht, sondern stand mit einem unendlichen Lächeln reglos da; das war in einem Zimmer mit grünen Pflanzen geschehen, das rote Teppiche hatte und blaue Sterne an den Wänden, und als er nach der Unendlichkeit aufsah, waren die Teppiche grün, die Pflanzen hatten große rubinrote Blätter, die Wände schimmerten gelb wie die sanfte Haut eines Menschen, und Tonka stand klarblau wie Mondlicht auf ihrem Platz. Er flüchtete beinahe in diese Träume wie in ein einfaches Glück; vielleicht waren sie nichts als Feigheit, sie sagten wohl nur, Tonka sollte gestehen, und alles wäre gut; er wurde durch ihre Häufigkeit sehr verwirrt, aber sie hatten nicht die unerträgliche Spannung des Halbwachens, die immer höher hinausführen wollte.

In diesen Träumen war Tonka immer groß wie die Liebe und nicht mehr das kleine mitgenommene Geschäftsmädchen, das sie war, aber sie sah stets auch anders aus. Sie war zuweilen ihre eigene jüngere Schwester, die es niemals gegeben hatte, und oft war sie bloß ein Rauschen von Röcken, der Klang und Fall einer andern

Stimme, die fremdeste und überraschendste Bewegung, der ganze berauschende Reiz unbekannter Abenteuer, die in einer nur im Traum möglichen Weise von der warmen Vertrautheit ihres Namens ihm zugeführt wurden und eine mühelose Seligkeit des Vorbesitzes schon in dem Augenblick spendeten, wo sie noch ganz Spannung des Unerreichten waren. Eine scheinbar ungebundene, noch wesenlose Zuneigung und übermenschliche Innigkeit trat mit diesen Doppelbildern in ihm auf, aber es war nicht zu sagen, ob sie sich darin von Tonka lösen oder erst mit ihr verbinden wollte. Wenn er darüber nachsann, erriet er, daß diese rätselhafte Übertragungsfähigkeit und Unabhängigkeit der Liebe sich auch im Wachen zeigen müsse. Nicht die Geliebte ist der Ursprung der scheinbar durch sie erregten Gefühle, sondern diese werden wie ein Licht hinter sie gestellt; aber während im Traum noch ein feiner Riß besteht, an dem sich die Liebe von der Geliebten abhebt, ist er im Wachen verwachsen, als würde man bloß das Opfer eines Doppelgänger-Spiels und von irgend etwas gezwungen, einen Menschen für herrlich zu halten, der es nimmer ist. Er brachte es nicht über sich, das Licht hinter Tonka zu stellen.

Aber es mußte damit zu tun haben und etwas Besonderes bedeuten, wie oft er an Pferde dachte. Das war vielleicht Tonka und die Pferdelotterie mit den Nieten, oder es war seine Kindheit, denn darin kamen schöne braune und gescheckte Pferde vor, in schweren, mit Messing und Fellen beschlagenen Geschirren. Und manchmal glühte plötzlich das Kinderherz in ihm auf, für das Großmut, Güte und Glauben noch nicht Pflichten sind, um die man sich nicht kümmert, sondern Ritter in einem Zaubergarten der Abenteuer und Befreiungen. Es war aber vielleicht bloß das letzte Aufleuchten vor dem letzten Verlöschen und der Reiz einer Narbe, die sich bildete. Denn die Pferde zogen immer Holz, und die Brücke unter ihren Hufen gab einen dunklen Holzlaut, und die Knechte trugen kurze, violett und braun gewürfelte Jacken. Sie nahmen alle den Hut vor einem großen Kreuz ab mit einem blechernen Christus, das in der Mitte der Brücke stand, nur ein kleiner Bub, der im Winter bei der Brücke zuschaute, hatte den seinen nicht ziehen wollen, denn er war schon klug und glaubte nicht. Da konnte er plötzlich seinen Rock nicht zuknöpfen; er konnte es nicht. Der Frost hatte seine Fingerlein gelähmt, sie faßten einen Knopf und zogen ihn mit Mühe heran, aber so wie sie ihn in das Knopfloch schieben wollten, war er wieder auf seinen alten Platz zurückgesprungen, und die Finger blieben hilflos und verdutzt. Sooft sie es auch versuchten, endeten sie in einer steifen Verwirrung.

Diese Erinnerung war es nämlich, welche ihm besonders oft einfiel.

## XII

Zwischen diesen Unsicherheiten schritt die Schwangerschaft fort und zeigte, was Wirklichkeit ist.

Es kam der beladene Gang, der Tonka eines stützenden Armes bedürftig erscheinen ließ, der schwere Leib, der geheimnisvoll warm war, die Art des sich Niedersetzens, mit offenen Beinen, unbeholfen und rührend häßlich; alle Wandlungen des wunderbaren Vorgangs kamen, der, ohne zu zögern, den Mädchenkörper umformte zur Samenkapsel, alle Abmessungen veränderte, die Hüften breit machte und hinunterrückte, den Knien die scharfe Form nahm, den Hals kräftiger, die Brüste zum Euter machte, die Haut des Bauches mit feinen roten und blauen Adern durchzog, so daß man darüber erschrak, wie nah der Außenwelt das Blut kreiste, als ob das den Tod bedeuten könnte. Nichts als Unform war durch neue Form ebenso gewaltsam wie duldend zusammengehalten, und das gestörte menschliche Maß spiegelte sich auch im Ausdruck der Augen wider; sie blickten etwas blöd, sie hafteten lange auf den Gegenständen und lösten sich nur schwerfällig von ihnen los. Auch an ihm hafteten Tonkas Augen oft lange. Sie besorgte wieder seine kleinen Angelegenheiten und diente ihm mühevoll, als wollte sie ihm noch zuletzt beweisen, daß sie nur für ihn lebte; nicht ein Funke Scham über ihre Häßlichkeit und Entstellung war in ihren Augen, nur der Wunsch, mit ihren plumpen Bewegungen recht viel für ihn zu tun.

Sie waren jetzt beinahe wieder so oft beisammen wie früher. Sie sprachen nicht viel, aber sie blieben einer in des andern Nähe, denn die Schwangerschaft rückte vor wie ein Zeiger, und sie waren hilflos davor. Sie hätten sich aussprechen sollen, aber nur die Zeit ging vorwärts. Der Schattenmensch, das Unwirkliche in ihm rang manchmal nach Worten, eine Erkenntnis wollte aufsteigen, daß man alles nach ganz andern Werten messen müßte; aber sie war, wie alles Erkennen ist, zweideutig, unsicher. Und die Zeit lief, die Zeit lief davon, die Zeit verlor sich; die Uhr an der Wand war dem Leben näher als die Gedanken. Es war ein kleinbürgerliches Zimmer, in dem nichts von Großem geschah, darin sie saßen, die Wanduhr war eine runde Küchenuhr und zeigte eine Küchenzeit, und seine Mutter beschoß ihn mit Briefen, darin alles bewiesen stand; sie sandte kein Geld, sondern gab es für die Meinung von Ärzten aus, die ihm den Kopf zurechtsetzen sollten: er verstand es recht gut und nahm es nicht mehr übel. Einmal schickte sie sogar eine neue ärztliche Erklärung, aus der nun wirklich hervorging, daß Tonka ihm damals doch untreu gewesen sein mußte; aber statt Alarm in ihm zu schlagen, erregte sie nur eine fast angenehme Überraschung, er dachte, als ob es gar nicht ihn berührte, darüber nach, wie das damals wohl zugegangen sein mochte, und fühlte bloß: die arme Tonka, die dann an den Folgen einer einzigen flüchtigen Verwirrung so litt . . .! Ja, er mußte sich manchmal in acht nehmen, daß er nicht plötzlich ganz lustig sagte: Tonka, gib acht, jetzt ist mir endlich eingefallen, was wir vergessen haben – mit wem du mir damals untreu warst! So verrann alles. Nichts Neues kam. Es blieb nur die Uhr. Und die alte Vertrautheit.

Und auch ohne daß sie sich ausgesprochen hatten, brachte sie die Augenblicke des Nacheinanderverlangens der Körper wieder. Sie kamen, so wie alte Bekannte auch nach langer Abwesenheit ohne viel Umstände ins Zimmer treten. Die Fenster jenseits des engen Hofes lagen blind im Schatten, die Menschen waren zur Arbeit gegangen, wie ein Brunnen dunkelte unten der Hof, die Sonne schien wie durch Bleischeiben in die Wohnung, sie hob jeden Gegenstand heraus und ließ ihn tot aufleuchten. Und da lag zum Beispiel auch einmal ein kleiner alter Kalender so aufgeschlagen, als hätte Tonka eben in ihm geblättert, und in der weiten, weißen Ebene eines Blattes stand, wie eine Pyramide der Erinnerung zu einem Tag gesetzt, ein kleines rotes Rufzeichen. Alle andern Blätter waren mit Eintragungen des alltäglichen Lebens, mit Preisen, Besorgungen gefüllt, und nur dieses war leer bis auf das Zeichen. Keinen Augenblick zweifelte er daran, daß dies die Erinnerung an jenen Tag bedeutete, dessen Vorfälle Tonka verbarg, die Zeit mochte ungefähr stimmen, und die Gewißheit schoß wie ein Blutsprudel in den Kopf. Aber die Gewißheit lag ja in nichts als eben in dieser plötzlichen Heftigkeit, und im nächsten Augenblick hatte sie sich wieder in ein Nichts zurückgezogen; wollte man diesem Rufzeichen glauben, so mochte man ebensogut dem Wunder glauben, und das Vernichtende war doch gerade, daß man keins von beiden tat. Es ging da ein erschrockenes Aufblicken von einem zum andern. Tonka hatte wohl das Blatt in seiner Hand bemerkt. Die Gegenstände in dem seltsamen Zimmerlicht sahen jetzt wie Mumien ihrer selbst aus. Die Körper wurden kalt, die Fingerspitzen vereisten, und die Eingeweide hielten wie ein heißer Knäuel alle Lebenswärme fest. Der Arzt hatte wohl gewarnt, Tonka bedürfe äußerster Schonung, sollte ihr nicht ein Unglück zustoßen; aber gerade den Ärzten durfte man ja in diesem Augenblick nicht trauen. Und auch nach der andern Seite blieben alle Anstrengungen vergeblich; vielleicht war Tonkas Kraft zu gering, sie blieb ein halbgeborener Mythos.

«Komm zu mir,» bat Tonka, und sie teilten Leid und Wärme mit traurigem Gewährenlassen.


XIII


Tonka war ins Spital gekommen; die böse Wendung war eingetreten. Er durfte sie besuchen; stundenweise. So hatte sich die Zeit verloren.

An dem Tage, wo sie aus dem Hause fortgekommen war, hatte er sich den Bart abnehmen lassen. Nun war er wieder mehr er selbst.

Aber dann erfuhr er, daß sie am gleichen Tag – ungeduldig, kopflos, um es los zu sein, was sie aus Sparsamkeit so lange aufgespart hatte, bis sie nun Angst litt, es nicht mehr tun zu dürfen – rasch sich einen Backenzahn hatte reißen lassen, als letzte Handlung der Freiheit, bevor sie ins Spital fuhr. Ihre Wangen mußten nun traurig eingefallen sein, weil sie sich niemals helfen lassen wollte. Da wurden wieder die Träume stärker.

Ein Traum kehrte in vielen Formen wieder. Ein blondes, unscheinbares Mädchen mit blasser Haut erzählte ihm, daß seine neue, irgendeine erfundene Geliebte ihm durchgegangen sei, und wieder von Neugierde erfaßt, warf er hin: «Und glauben Sie, daß Tonka besser war?» Er schüttelte den Kopf und machte ein recht zweifelndes Gesicht, um das Mädchen damit zu einer ebenso kräftigen Beteuerung von Tonkas Tugenden zu reizen, er kostete schon den Wohlgeschmack der Erleichterung, welche ihm ihre Entschiedenheit bringen würde; aber statt dessen sah er langsam ein Lächeln auf dem Gesicht vor ihm entstehen, sah es mit fürchterlicher Langsamkeit sich ausbreiten, und dann sagte das Mädchen: «Ach, die hat ja so furchtbar gelogen. So war sie ganz nett, aber man konnte ihr kein Wort glauben. Sie wollte immer eine große Lebedame werden.» Die größere Qual dieses Traumes war nicht das wie ein Messerschnitt ansetzende Lächeln, sondern daß er sich gegen die platte Ereiferung des Endes nie wehren konnte, weil sie in der Ohnmacht des Schlafes wie ihm aus der Seele gesprochen war.

Wenn er an Tonkas Bett saß, war er daher oft stumm. Er wäre gern so großmütig gewesen wie in früheren seiner Träume. Er hätte sich vielleicht auch aufschwingen können, wenn er etwas von der Kraft Tonka zugewandt hätte, mit der er an seiner Erfindung arbeitete. Die Ärzte hatten ja nie eine Krankheit an ihm finden können, und so umschlang die Möglichkeit eines geheimnisvollen Zusammenhangs ihn mit Tonka: er brauchte ihr nur zu glauben, so wurde er krank. Aber, vielleicht, sagte er sich, in einer andern Zeit wäre das möglich gewesen – er gefiel sich schon in solchen rückblickenden Gedanken –, in einer andern Zeit wäre Tonka vielleicht ein berühmtes Mädchen geworden, das zu freien, Fürsten sich nicht für zu gut gehalten hätten; aber heute?! Man müßte wohl einmal weitläufig darüber nachdenken. – So saß er an ihrem Bett, war lieb und gut zu ihr, aber er sprach nie das Wort aus: ich glaube dir. Obgleich er längst an sie glaubte. Denn er glaubte ihr bloß so, daß er nicht länger ungläubig und böse gegen sie sein konnte, aber nicht so, daß er für alle Folgen daraus auch vor seinem Verstand einstehen wollte. Es hielt ihn heil und an der Erde fest, daß er das nicht tat.

Die Bilder des Spitals quälten ihn. Ärzte, Untersuchungen, Disziplin: sie war ergriffen von der Welt und auf den Tisch geschnallt. Aber das erschien ihm fast schon als ein Mangel an ihr; sie mochte wohl etwas Tieferes sein, unter dem, was mit ihr in der Welt geschah, aber dann müßte auch alles anders sein in der Welt, damit man dafür kämpfen könnte. Er gab schon etwas nach, sie war ihm wenige Tage nach der Trennung bereits etwas fern geworden dadurch, daß er die Fremdheit ihres allzu einfachen Lebens, die er ein wenig wohl immer mitempfunden hatte, nicht mehr täglich reparieren konnte.

Und weil er an Tonkas Spitalsbett oft wenig sprach, schrieb er ihr Briefe, in denen er vieles sagte, was er sonst verschwieg, er schrieb ihr fast so ernst wie einer großen Geliebten; bloß vor dem Satz: ich glaube an dich! machten auch diese Briefe halt. Tonka antwortete nicht, er war ganz verdutzt. Da erst fiel ihm ein, daß er die Briefe nie abgeschickt hatte; sie waren ja nicht mit Sicherheit seine Meinung, sondern eben ein Zustand, der sich nicht anders helfen kann als mit Schreiben. Da merkte er, wie gut er es immer noch hatte, der sich ausdrücken konnte, und Tonka konnte es nicht. Und in diesem Augenblick erkannte er sie ganz klar. Eine mitten an einem Sommertag allein niederfallende Schneeflocke war sie. Aber im nächsten Augenblick war dies gar keine Erklärung, und vielleicht war sie auch nur einfach ein gutes Mädchen, die Zeit ging zu schnell, und eines Tages überraschte ihn fürchterlich die Mitteilung, daß es nicht mehr lange mit ihr dauern würde. Er machte sich bittere Vorwürfe wegen seines Leichtsinns, der sie nicht genug geschont hatte, aber da er sie Tonka nicht verbarg, erzählte sie ihm einen Traum, den sie in einer der letzten Nächte gehabt hatte; denn auch sie träumte.

Ich hab im Schlaf gewußt, sagte sie, daß ich bald sterben werde, und, ich kann's gar nicht verstehen, ich war sehr froh. Eine Tüte Kirschen hab ich in der Hand gehabt; da hab ich mir gedacht: Ach was, die ißt du vorher schnell noch auf! . . .

Und am nächsten Tage durfte er Tonka nicht mehr sehen.


XIV


Da sagte er sich: vielleicht war Tonka gar nicht so gut, wie ich mir eingebildet habe; aber gerade daran zeigte sich das geheimnisvolle Wesen ihrer Güte, das vielleicht auch einem Hund hätte zukommen können.

Ein trocken wie ein Sturm fegendes Leid ergriff ihn. Ich darf dir nicht mehr schreiben, ich darf dich nicht mehr sehn, heulte es um alle Ecken seiner Festigkeit. Aber ich werde wie der liebe Gott bei dir sein, tröstete er sich, ohne sich etwas dabei denken zu können. Und oft hätte er gern bloß geschrien: Hilf mir, hilf du mir! Hier knie ich vor dir! Er sagte sich traurig vor: Denk dir, ein Mensch geht mit einem Hund ganz allein im Sternengebirge, im Sternenmeer! – und Tränen quälten ihn, die so groß wurden wie die Himmelskugel und nicht aus seinen Augen herauskonnten.

Er spann wachend nun Tonkas Träume.

Einmal, träumte er vor sich hin, wenn alle Hoffnung Tonkas geschwunden ist, wird er plötzlich wieder eintreten und da sein. In seinem weitkarierten braunen englischen Reisemantel. Und wenn er ihn aufmacht, wird ohne Kleider darunter seine weiße, schmale Gestalt sein, mit einer dünnen goldenen Kette und klingelnden Anhängseln daran. Und alles wird wie ein Tag gewesen sein, sie war dessen ganz sicher. So sehnte er sich nach Tonka, wie sie sich nach ihm gesehnt hatte. Oh, sie war nie begehrlich! Kein Mann lockte sie; es ist ihr lieber, wenn ihr einer den Hof macht, ein wenig ungeschickt weltschmerzlich auf die Gebrechlichkeit solcher Beziehungen hinweisen zu können. Und wenn sie abends aus dem Geschäft kommt, ist sie ganz ausgefüllt von seinen lärmenden, lustigen, ärgerlichen Erlebnissen; ihre Ohren sind voll, ihre Zunge spricht innerlich noch weiter; da ist kein kleinstes Plätzchen für einen fremden Mann. Aber sie fühlt, wohin das nicht reicht in ihr, dort ist sie überdies groß, edel und gut; kein Geschäftsmädel ist sie dort, sondern ebenbürtig und verdient ein großes Schicksal. Darum glaubte sie auch, trotz allen Unterschieds, ein Recht auf ihn zu haben; von dem, was er trieb, verstand sie nichts, das ging sie nicht an, sondern weil er im Grunde gut war, gehörte er ihr; denn auch sie war gut, und irgendwo mußte doch der Palast der Güte stehen, wo sie vereint leben sollten und sich niemals trennen.

Aber was war diese Güte? Kein Tun. Kein Sein. Ein Schimmer, wenn sich der Reisemantel öffnet. Und die Zeit ging zu schnell. Er hielt sich noch an der Erde fest und hatte den Gedanken: ich glaube an dich! noch nicht mit Überzeugung ausgesprochen, er sagte noch: und wenn alles auch so wäre, wer könnte es denn wissen – da war Tonka tot.

## XV

Er hatte der Wärterin Geld geschenkt und sie hatte ihm alles erzählt. Tonka hatte ihn grüßen lassen.

Da fiel ihm nebenbei ein wie ein Gedicht, zu dem man den Kopf wiegt, das war gar nicht Tonka, mit der er gelebt hatte, sondern es hatte ihn etwas gerufen.

Er wiederholte sich diesen Satz, er stand mit dem Satz auf der Straße. Die Welt lag um ihn. Wohl war ihm bewußt, daß er geändert worden war und noch ein anderer werden würde, aber das war er doch selbst und es war nicht eigentlich Tonkas Verdienst. Die Spannung der letzten Wochen, die Spannung seiner Erfindung, versteht es sich recht, hatte sich gelöst, er war fertig. Er stand im Licht und sie lag unter der Erde, aber alles in allem fühlte er das Behagen des Lichts. Bloß wie er da um sich sah, blickte er plötzlich einem der vielen Kinder rungsum in das zufällig weinende Gesicht; es war prall von der Sonne beschienen und krümmte sich wie ein gräßlicher Wurm nach allen Seiten: da schrie die Erinnerung in ihm auf: Tonka! Tonka! Er fühlte sie von der Erde bis zum Kopf und ihr ganzes Leben. Alles, was er niemals gewußt hatte, stand in diesem Augenblick vor ihm, die Binde der Blindheit schien von seinen Augen gesunken zu sein; einen Augenblick lang, denn im nächsten schien ihm bloß schnell etwas eingefallen zu sein. Und vieles fiel ihm seither ein, das ihn etwas besser machte als andere, weil auf seinem glänzenden Leben ein kleiner warmer Schatten lag.

Das half Tonka nichts mehr. Aber ihm half es. Wenn auch das menschliche Leben zu schnell fließt, als daß man jede seiner Stimmen recht hören und die Antwort auf sie finden könnte.

Nachwort von Adolf Frisé

───────────

# Aus dem Nachlaß von Robert Musil

Skizzen zu einer Autobiographie
(Aus dem Tagebuch-Heft 33: 1937–1941)

Theoretisches zu dem Leben eines Dichters (1935)
(Entwurf einer Vorrede zum «Nachlaß zu Lebzeiten»)

# Robert Musil

Über Robert Musil liegen einige denkwürdige Sätze von Thomas Mann vor. Sie sind aus zwei Gründen bemerkenswert: einmal wegen des Zeitpunkts, zu dem sie niedergeschrieben wurden, sodann weil hier der vielleicht tragischste Fall der modernen deutschen Literatur auf die für lange knappste Formel gebracht worden ist. «In keinem Falle zeitgenössisch deutscher Produktion», heißt es da, «fühle ich mich des Urteils der Nachwelt so sicher wie in diesem. ‹Der Mann ohne Eigenschaften› ist ohne jeden Zweifel größte Prosa [ . . .], ein Buch, das die Jahrzehnte überdauern und von der Zukunft in hohen Ehren gehalten werden wird.» Diese Prognose wurde kaum bekannt. Sie stand in einem Brief, der, an ein Mitglied der deutschen PEN-Sektion in London gerichtet, das Datum des 1. Juni 1939 trägt. Aber selbst wenn sie damals beachtet worden wäre, hätte man ihr vermutlich wenig Glauben geschenkt. Der Kreis derer, die sich in diesem Augenblick überhaupt noch des Dichters Robert Musil entsannen, beschränkte sich nahezu ausschließlich auf einige ihm eng verbundene Freunde. Ein Jahr darauf, zu seinem sechzigsten Geburtstag, erreichte ihn sogar nur ein vereinzelter Gruß. Musil dankte mehr resigniert als enttäuscht. «Sie sind wahrhaftig die einzigen Menschen gewesen,» antwortete er, «die sich daran erinnert haben . . . Wer sonst immer früher schrieb, hat teils nicht den Mut dazu, teils denkt er heute an anderes, und meistenteils wird er einfach durch nichts erinnert.» Die Zeitungen schwiegen. Sie beschäftigten sich schon seit einer Weile nicht mehr mit ihm. «Es sieht aus,» resümierte Musil in seinem Dankbrief, «als ob ich schon so gut wie nicht da wäre». Vier Jahre zuvor war ein seltsames kleines Buch, eine Sammlung meist älterer Essays und Feuilletons, erschienen. «Nachlaß zu Lebzeiten» stand darauf. Schon die Wahl dieses Titels war symptomatisch. Sie war in gleicher Weise von Selbstironie wie von Verbitterung diktiert. Womöglich spielte auch die beklemmende Ahnung mit, daß Geduld, Hoffnung, Optimismus nutzlos seien, und der Stolz drängte Musil dazu, sich beizeiten zu verabschieden. Jedenfalls gestand er einem seiner Freunde:
«. . . erst auf seinen Tod warten zu müssen, um leben zu dürfen, ist doch ein rechtes ontologisches Kunststück!» Das war, obwohl unter einem anderen Vorzeichen, genau die gleiche Schlußfolge-

rung, zu der auch Thomas Mann gekommen war. Sie schien zunächst ein Trugschluß. Musil starb am 15. April 1942. Noch über sieben Jahre danach, im Oktober 1949, schrieben die Londoner «Times»: «Robert Musil, der bedeutendste deutschschreibende Romancier dieser Jahrhunderthälfte, ist einer der unbekanntesten Schriftsteller dieses Zeitalters.»

Dieses Urteil und diese Feststellung haben seinerzeit in der literarischen Welt des Auslands beträchtliches Aufsehen erregt. Die englische Zeitung leitete damit eine der eindringlichsten Studien ein, die über Musil veröffentlicht worden sind. Es war aber, nach dessen Tod, weder der erste noch der einzig nachdrückliche Versuch dieser Art. Noch während des Krieges bemühten sich verschiedene Schweizer Blätter darum, daß sein Name nicht in Vergessenheit geriet. Im Jahre 1945 setzte sich mit den exklusiven Genfer «Lettres» eine Zeitschrift für ihn ein, deren Redaktionsstab führende Köpfe des geistigen Frankreich angehörten. Das Gespräch um Musil flackerte immer gerade dann wieder auf, wenn man schon befürchten mußte, daß es ein für allemal verstummt sei. Eine Wendung wie der Anfangssatz der «Times» wiederholte nur einen Vorwurf, der, mehr oder minder indirekt formuliert, oft zu hören war. Der Rang dieses Dichters war seit jeher unbestritten. Doch warum übersah man ihn? Schon Musil selbst hatte trotz seiner stets unbestechlichen, ja rücksichtslosen Selbstkritik vergeblich nach einer Erklärung gesucht. «Dieser wunderliche Ruf!» formulierte er es einmal in einem Ausbruch der Verzweiflung. «Er ist stark, aber nicht laut. Ich bin oft gezwungen worden, über ihn nachzudenken, er ist das paradoxeste Beispiel von Dasein und Nichtdasein einer Erscheinung. / Er ist nicht der große Ruf, den Schriftsteller genießen, in denen sich der Durchschnitt (wenn auch verfeinert) spiegelt, es ist nicht der Spezialistenruf der literarischen Konventikelgröße. Ich wage von meinem Ruf (nicht von mir) zu behaupten, daß er der eines großen Dichters ist, der kleine Auflagen hat . . .» Sogar dieser Ruf drohte zuletzt zur bloßen Fiktion zu werden. Zehn Jahre lang, und zwar zehn für seine Auswirkung entscheidende Jahre hindurch, war das Werk Musils praktisch nicht vorhanden. Es verschwand 1933, im Gegensatz zu dem Gros der damals befehdeten Literatur, nicht nur vom deutschen, sondern vom gesamten deutschsprachigen Büchermarkt. Seit 1936 war außer dem «Nachlaß zu Lebzeiten» nur eine in Wien gehaltene Rede «Über die Dummheit» greifbar, die ungefähr gleichzeitig im Druck erschien. So war es fruchtlos, über einen Fall zu diskutieren, den die Öffentlichkeit, soweit sie sich noch angesprochen fühlte, wohl zur Kenntnis nehmen, aber nicht prüfen konnte. Das änderte sich auch nur bedingt nach Musils Tod. 1943 gab ein Züricher Verlag eine Neuauflage der «Drei Frauen» heraus. Im gleichen Jahr veröffentlichte die Witwe des Dichters einen umfangreichen Nachlaßband: Band III, wie sie ihn nennen mußte, des Romans «Der Mann ohne Eigenschaften». Beide Titel waren dem Eingeweihten zwar geläufig, dem Start für die Neuentdeckung Musils fehlte indes nach wie vor eine primäre Voraussetzung: die Möglichkeit, wenigstens das Hauptstück seines Werks als Ganzes zu überblicken. Was nun endlich neu vorlag, hatte im wesentlichen den faszinierenden Reiz eines Fragments. Die drei Novellen bildeten einst die letzte Vorstufe, ehe Musil das ebenso gefahr- wie entsagungsvolle Wagnis unternahm, seine ganze Lebensarbeit auf *ein* Buch zu konzentrieren. Dieses Buch war «Der Mann ohne Eigenschaften». Die ersten beiden Bände mit rund 1700 Seiten hatten Anfang der dreißiger Jahre seinen mittlerweile problematisch gewordenen Ruhm begründet. Sie blieben für uns auch weiterhin verschollen. Das Bruchstück der neuen fast 500 Seiten präsentierte sich als ein abgetrennter isolierter Block. Es mutete notwendig wie eine Paraphrase zu einem Leitmotiv an, das die meisten allenfalls vom Hörensagen kannten. «Der Fehler dieses Buchs ist, ein Buch zu sein», notierte Musil einmal, als er ein Vorwort zur Neuauflage seiner ersten Novellen entwarf, die er noch selbst vorbereitete. Er hätte den Nachlaßband nicht treffender kommentieren können. Es heißt dort weiter: «Daß es einen Einband hat, Rücken, Paginierung. Man sollte zwischen Glasplatten ein paar Seiten davon ausbreiten und sie von Zeit zu Zeit wechseln. Dann würde man sehen, was es ist . . . / Man kennt nur das kausale Erzählen, die Ammen- und Schauergeschichte oder das Ästhetische das Gepränge. Als drittes höchstens noch in Prosa verirrte Lyrik. Nichts davon ist dieses Buch.»

Die literarische Entwicklung Musils verlief ungewöhnlich stetig, fast bruchlos. Schon sein Erstling, der Roman «Die Verwirrungen des Zöglings Törleß», machte den knapp Sechsundzwanzigjährigen mit einem Schlage zu einem Begriff. Damals, im Jahre 1906, fiel erstmals jenes Stichwort, mit dem man seither jede seiner Arbeiten apostrophierte: das Lob auf die Kühnheit seiner Psychologie. Der junge Autor war als Außenseiter zur Literatur gekommen. Zeitlebens hielt Musil sich reserviert, mehr noch: bis zur Verachtung mißtrauisch allem fern, was statt echter Aktivität leerer, wenn auch noch so emsiger, literarischer Betriebsamkeit entsprang. Sein Erziehungs- und Bildungsweg bestimmte, unverwischbar bis zuletzt, Grundzüge seiner Gestalt. Als Sohn eines, Herbst 1917 geadelten, österreichischen Hochschulprofessors für Maschinenbau in Klagenfurt geboren, selbst berechtigt, sich Robert Edler von Musil zu nennen, ohne je davon Gebrauch zu machen, sah er sich vorerst, nach dem Wunsch seiner Eltern, vor der Laufbahn eines aktiven k. u. k. Offiziers. Auf der Militärerziehungsanstalt von Mährisch-Weißkirchen erlebte er die Welt und die Konflikte seines Törleß-Romans. Aus eigenem Entschluß sattelte er, ehe er militärisch avancierte, um. Er wechselte zur Fakultät seines Vaters über, wurde, erst einundzwanzigjährig, Ingenieur, spielte mit dem Gedanken einer entsprechenden wissenschaftlichen Karriere, erprobte sie bereits als Assistent an der Technischen Hochschule in Stuttgart, doch noch während er zu schreiben begann, änderte er nochmals seinen Berufsplan, ging nach Berlin und studierte dort, im Schülerkreis Carl Stumpfs, Philosophie, «vornehmlich Logik und experimentelle Psychologie». Ein zweites Mal lockte ihn, nach seiner Promotion, der Weg des Universitätslehrers. In Graz wie München stand seine Berufung zur Diskussion. Aber er lehnte ab. Das technische wie das philosophische Studium hatten ihn vor allem als Denktraining gefesselt. Der frühe Erfolg ermutigte ihn zudem, sich, unbehindert durch ein Amt, ganz der Literatur zu verschreiben. Er verführte ihn allerdings nicht, weder damals noch später, sein Schaffen zu forcieren. Er hatte von Anfang an die Kraft, keinen Schritt zu übereilen, unbekümmert darum, daß die Pause von Buch zu Buch seinen literarischen Kredit aufzehren könnte. Bereits die erste Pause dauerte fünf Jahre. Erst 1911 folgte die zweite Arbeit: ein schmaler Band, der unter dem Titel «Vereinigungen» die beiden frühen Novellen «Die Vollendung der Liebe» und «Die Versuchung der stillen Veronika» zusammenfaßte. Wieder rühmte man seinen psychologischen Mut. Spätestens von dieser Arbeit datiert auch das Mißverständnis, die Prosa Musils sei einer der ersten unmittelbaren dichterischen Reflexe der Psychoanalyse. Mit mehr Recht datiert man von den «Vereinigungen», auch schon vom «Törleß», den Beginn des Expressionismus in der deutschen Prosaliteratur, den die offizielle Literaturgeschichte dem 1915 erschienenen Novellenband «Die sechs Mündungen» von Kasimir Edschmid zuschreibt. Noch 1923 polemisierte ein namhafter Berliner Kritiker: «Doch es muß festgestellt werden, daß von dem Stil dieses Romans [«Die Verwirrungen des Zöglings Törleß»] das Ausgang nahm, was man expressionistische Prosa nannte. Kasimir Edschmid, das ist Musil . . . Edschmid ist die Veräußerlichung dieses Stiles, den Musil als erster ertastete.» Es kamen noch andere Chiffren hinzu, die das Musil-Bild Zug um Zug standardisierten. Auf einen Generalnenner gebracht, ergab sich ein Prädikat, das auf der einen Seite höchsten Respekt (vor der Kompromißlosigkeit dieses Dichters, seinem Wahrheitsfanatismus, seiner unantastbaren Integrität) verriet, aber auch gewisse unbegründbare und darum um so gefährlichere Vorbehalte einschloß. In die Anerkennung seiner sprachlichen wie psychologischen Subtilität, die ohnehin schon so verdächtig wie bewunderungswürdig erschien, mischte sich vielfach ein Gefühl des Unbehagens über die ausgeprägt experimentelle Tendenz dieser Literatur, die sich in keine der üblichen Normen einordnen ließ. Musil jedoch hatte, sofern man allein an Probleme des Stils und des Ausdrucks dabei denkt, diese Phase schon hinter sich, als man sie noch umstritt. Das Experiment war für ihn immer nur der unumgängliche Versuch eines möglichen Weges, nie Selbstzweck. Wieder ließ er sich Zeit, diesmal nahezu zehn Jahre. Das Produkt dieser zweiten Pause war ein Schauspiel: «Die Schwärmer» (1921), das zur Enttäuschung seines Autors bald in den Verdacht geriet, ein Lese-, aber kein Bühnendrama zu sein. Nach einem zweiten Stück, der Posse «Vinzenz und die Freundin bedeutender Männer» (1924), gab er den von ihm mehr als ernst genommenen Flirt mit dem Theater wieder auf. Er hatte seinen Zweck erfüllt. Das Thema der «Schwärmer» hatte sich aus den verhaltenen, dort nur zögernd in Handlung umgesetzten Spannungen der «Vereinigungen» ergeben. Der Zwang zur Szene, den Musil sich bewußt auferlegte, drängte seine Sprache näher an die Realität, der er zwar niemals ausgewichen war, deren er lediglich, wie er ahnte, mit äußerster, unwiderlegbarer erzählerischer Präzision Herr werden mußte. In den zehn Jahren seines Schweigens, von seinem dreißigsten bis zu seinem vierzigsten Lebensjahr, war der Riesenplan des «Mann ohne Eigenschaften» herangereift. Alles übrige war plötzlich nur Vorspiel. In den «Drei Frauen» hatte sich seine Prosa gestrafft und diszipliniert. In der Posse klang zum erstenmal ein bisher ungewohnter Spott an, die hier noch rohe Vorform einer Ironie, die sich später bis in zarteste Nuancen sublimierte.

Die dritte «Pause» schloß erst mit Musils Tod ab. Mit ihr begann ein Kapitel, das sich in der Geschichte der neueren Literatur nur noch mit dem Arbeitsdrama vergleichen läßt, wie es sich in den Briefen Flauberts spiegelt. Mehr als zwanzig Jahre hindurch münden nun alle Gedanken in ein einziges Projekt. Die ersten Skizzen zum «Mann ohne Eigenschaften» entstanden schon während der Niederschrift der «Verwirrungen des Zöglings Törleß». Der erste Einfall entsprang dem Protest gegen die fahrlässige Selbstgefälligkeit des Vorkriegsbürgertums, das den durch Generationen angelaufenen Ideenvorrat als nicht nur wohl ererbtes, sondern auch unversiegliches Kapital betrachtete, dessen Zinsen allein schon ausreichen würden, um jeder Gefahr einer Gesellschafts- oder Kulturkrise moralisch von Grund auf gesichert zu begegnen. Der Mann ohne Eigenschaften wurde schon im Keim als ein Frondeur konzipiert, der die Scheinwerte seiner Zeit mit aller Radikalität in Frage stellen sollte, um vielleicht am Ende eine Spur zu entdecken, die zu einer neuen, von Selbsttäuschungen unbelasteten Ordnung führt. Das erste Handlungsmotiv umkreiste lediglich drei Personen. Dieses Kernstück mit drei Exponenten der jungen Generation, die sich diametral voneinander entfernen, blieb auch später zentraler Ausgangspunkt. Um ihn herum gruppierte sich nach und nach eine Vielzahl ineinander greifender Kreise, aus denen sich schließlich das breite Panorama einer ganzen Epoche, ihrer Gesellschaft, ihrer Daseinsformen wie -prinzipien, ihrer Tragik wie ihrer Groteske entwickelte. Stein um Stein trug Musil sein Problem-, Konflikt- und Ideenmaterial zusammen. Die Entwürfe griffen immer weiter aus. Der Krieg hatte ihm die Richtigkeit seiner Frage und die Notwendigkeit, in diesem Roman über die Analyse hinaus zu einer konstruktiven Antwort vorzudringen, bestätigt. Das war kein Plan, der sich in einer einmaligen kurzen Anstrengung bewältigen ließ, nicht irgendein thematisch eingeengter Stoff, an dem man kluge Teilansichten oder allein die Brillanz eines qualifizierten Romanschriftstellers demonstrieren konnte. Für Musil wurde dieser Roman immer gebieterischer Basis und Achse seiner gesamten literarischen Existenz. Er beherrschte sein Leben. Das persönliche Moment trat früh völlig in den Hintergrund. Es hatte allerdings selten und immer nur kurzfristig eine relativ bescheidene Rolle gespielt. Eine Anforderung seiner wichtigsten Lebensdaten beantwortete Musil Mitte der dreißiger Jahre mit lakonischer Gleichgültigkeit. Für die Zeit nach Beendigung seiner Studien erwähnte er nur: «1911/14 Praktikant und Bibliothekar an der Technischen Hochschule Wien. 1914 Redakteur an der Zeitschrift ‹Die Neue Rundschau›, Berlin. 1914/ 18 . . . an der . . . Front. Ende 1918/20 in besonderer schriftstellerischer Tätigkeit im Staatsamt des Äußeren. 1920/22 Fachbeirat im Bundesministerium für Heereswesen.» Anfänglich schrieb er daneben noch etliche Essays, die er vor und nach dem Kriege in verschiedenen Zeitschriften publizierte, außerdem Wiener Theaterkritiken vor allem für eine Prager Zeitung, ferner Geschichten, Feuilletons. Auch das hörte dann gegen Mitte der zwanziger Jahre langsam auf. Nur vereinzelt zwischen 1924 und 1930 unterbrach er die Arbeit am «Mann ohne Eigenschaften»: so im Januar 1927 mit seiner Rede auf den Tod Rilkes, zu der ihn das literarische Berlin einlud. Weder 1930, als die ersten 1100 Seiten seines Romans erschienen, noch 1932, als der zweite Band folgte, hatte er einen Ruhepunkt erreicht. Fast widerstrebend gab er diese ersten mächtigen Stücke frei. Die Linien, die auf das Ende zuliefen, zogen sich schon seit langem durch eine Flut von Studien, wieder und wieder verbesserten Entwürfen, großen geschlossenen Kapitelfolgen; das Ergebnis jedoch war noch nicht abzusehen.

Das Außerordentliche dieses Romans wurde sofort erkannt. Man suchte nach Parallelen und fand sie nur außerhalb der deutschen Literatur. Die vivisektorische Sachlichkeit, mit der Musil die Tarnungen seiner Menschen zerriß, erinnerte an die bestürzenden Entblößungen des Iren James Joyce, die unnachgiebige Schärfe seiner Gesellschaftskritik an die minuziöse Hartnäckigkeit Marcel Prousts. Die Eleganz der Sprache bestach ebenso wie die intellektuelle Gründlichkeit der Diagnosen. Die Ironie allerdings schien zuweilen darüber hinwegzutäuschen, daß dieser so seigneurale Romancier mit ihr die Leidenschaftlichkeit seiner Anprangerungen und Angriffe, auch die Bitterkeit seiner Zeitanalyse zwar dämpfen, womöglich sogar mildern, aber keinesfalls bagatellisieren wollte.

Auch der geschichtliche Rahmen konnte irritieren. Die Handlung entfaltete sich im Rhythmus eines einzigen Jahres: vom August 1913 bis Ende Juli 1914. Wien im Spiegel seiner damals tonangebenden Gesellschaft symbolisiert am Vorabend des Ersten Weltkriegs die untergangsreife Morbidität der alten Donaumonarchie. Die Schlußneurose einer an sich selbst zweifelnden und verzweifelnden Zeit wurde bis in ihre geheimsten Wurzeln bloßgelegt. Die spezifisch österreichische Anfälligkeit, so sehr sie die ersten Anlässe, Verwicklungen, Streitgespräche auslöste, gab nur das Stichwort. Sie stand von vornherein für alle Krankheitssymptome dieses Jahrhunderts.

Musil hatte seinem Mann ohne Eigenschaften eine verwegene Aufgabe gestellt. Von Kapitel zu Kapitel verdichtete sich ihrer beider Identität. Die exakte Analyse war nur ein Mittel, die Rebellion gegen den permanenten Selbstbetrug, der Europa in zwei Katastrophen stürzte, nur der akute Anstoß. Bräche der Roman nach den ersten beiden Bänden ab, könnte man ihn mißverstehen. Bis dahin blieb er vorwiegend Gesellschaftsspiegel, eine zeitbezogene geistvolle Geschichts- und Ideeninterpretation, eine in unzähligen Varianten meisterhaft fingierte Comédie humaine. Erst der Nachlaßband enthüllte, nach einer Distanz von über zehn Jahren, daß das Ziel, das Musil anstrebte, jenseits der Grenzen auch der differenziertesten Psychologie, jenseits zeitlicher Bindungen lag. Es war zwar längst dialektisch angedeutet, aber noch nicht verbindlich bestimmt. In seiner letzten Absicht erhebt sich das, was mit Florettstichen und Aperçus begann, auf die Höhe einer religiösen oder, wie Musil es formuliert hätte, einer ethischen Vision. Die historische Landschaft war nur das Absprungbrett. Sie entschwindet von Phase zu Phase, wie unter dem Blick aus dem Flugzeug Städte, Wiesen, Flüsse und Wälder spielzeughaft zusammenrücken, bis das Auge ihre unentrinnbare Realität nur noch ahnt. Die Kritik an der Wirklichkeit unseres modernen Lebens entwickelt sich organisch zum Gedankenversuch eines besseren möglichen Lebens, der alle Risiken neuer Selbsttäuschungen methodisch einkalkuliert. Die Ironie, der Sarkasmus, der beißende Witz unterwerfen sich dem gespannten Ernst eines gewissenhaft kontrollierten Tagtraums. Schließlich weichen sie einem verzaubernden Anflug von «taghelle Mystik». Der Skeptiker verfällt der uralten Sehnsucht, den verlorenen Sinn dieses Daseins wiederzufinden; er will ihn nicht beschwören, sondern mit allen Sicherungen errechnen. Es ist kein Hinwegspielen in eine ungebundene Irrealität, die Fundamente des logischen Erkennens werden von Stufe zu Stufe verstärkt, die Brücken zur «Utopie» der Möglichkeit nicht ins Uferlose projiziert, sondern systematisch geprüft, abgestützt, wieder geprüft.

Es wurde für Musil zuletzt eine geradezu gespenstische Situation. Nur einmal, im Jahre 1931, hatte er sich, von der geistigen Beweglichkeit Berlins angezogen, von seinem Arbeitszimmer in der Rasumofskygasse im dritten Wiener Bezirk getrennt. Sommer 1933 kehrte er wieder dorthin zurück. Aber schon fünf Jahre später verließ er Wien zum zweitenmal. In Zürich wie schließlich in Genf erwartete ihn eine lähmende Stille. Er hätte, als Flüchtling, auf seinen Ruhm pochen und ihn, mit einigem Geschick, merkantilisieren können. Wahrscheinlich jedoch wäre es ihm mißlungen, auch wenn er es versucht hätte. Er hatte seit jeher den fatalen, von ihm selbst als unzeitgemäß empfundenen Hang zur Diskretion. Nur noch wenige Menschen nahmen an dem Fortgang seiner Arbeit teil. Das Werk und seine Vollendung waren von Jahr zu Jahr fragwürdiger geworden, aufs äußerste gefährdet und verletzbar in einer Zeit, die mit Sturmschritten der einsamen Position, um die darin gerungen wurde, davonzurasen schien. Manchmal empfand er es als «Leichtsinn», «an einem Kartenhaus weiterzubauen, während die Erde Risse bekommt». Seine erbarmungslose Selbstkritik steigerte sich noch. Sie blieb auch in den Stunden quälendster Hoffnungslosigkeit stärker als der äußere Zwang, sich in den letzten zermürbenden Jahren des Vergessenseins wieder ins Gespräch zu bringen. Zehn-, zwanzigmal verwarf er nicht nur einzelne Passagen, sondern die gesamte Struktur fast fertiger Kapitel. Er plante eine Zwischenfortsetzung des Romans herauszugeben. Neue mehrere hundert Seiten dazu lagen bereits im Druck, aber als er die Korrekturfahnen durchlas, entschloß er sich, alles zurückzuziehen und neu zu beginnen. Immer neue Figuren, neue Fragestellungen, neue Möglichkeiten, die Argumente der Antwort zu verstärken, drängten sich in den unabsehbar ausgeweiteten Handlungs- und Gedankenkreis. «Dieses Buch», hatte er schon 1932 angemerkt, «hat eine Leidenschaft, die im Gebiet der schönen Literatur heute einigermaßen deplaziert ist, die nach Richtigkeit/Genauigkeit.» Mit monomanischer Besessenheit hielt er daran fest. Jeder Satz war jetzt zum Wagnis geworden, jede philosophische Spekulation zum

Abenteuer; er ließ keine Silbe stehen, wenn er ihre Unanfecht-
barkeit, auch nur für einen Augenblick, glaubte bezweifeln zu
müssen.

Es ist schwer zu sagen, wie lange Musil noch gebraucht hätte,
um den Roman zu vollenden. Der Tod überraschte ihn, nicht
ein einziges Mal so früh bereits vorausgefühlt, mitten in der Arbeit. Morgens hatte er in dem kleinen Gartenhaus, das er in einem Vorort Genfs bewohnte, noch über seinen Manuskripten
gesessen; in einem dünnen blauen Heft verzeichnete er um neun
Uhr zwanzig, dann um elf Uhr die ersten beiden von sechs bis
acht Zigaretten, die der Arzt ihm täglich erlaubte, und mittags,
im Badezimmer, traf ihn ein Gehirnschlag. «Atemzüge eines
Sommertags» stand über dem Kapitel, an dem er in den letzten
Stunden geschrieben hatte. Auf dem Schreibtisch lag der Torso
eines Lebenswerks. Die Selbstaufopferung dafür, Jahre der Not
und Entsagung, schienen sinnlos gewesen zu sein. Nur wenige
Zeitungen brachten in den Tagen darauf einen mehr oder minder
konventionellen Nachruf. «Rilkes Tod war kein Anlaß» hatte
Musil fünfzehn Jahre vorher festgestellt. Das schien nun, weit
krasser, auf ihn selbst gemünzt. Für die Umwelt war er, wenn
auch unausgesprochen, ein Mann, der sich selbst überlebt hatte.
Nicht mehr als acht Personen nahmen am 17. April 1942, auf
dem Genfer Friedhof Saint-Georges, an seinem Begräbnis teil.

Der dritte Band des «Mann ohne Eigenschaften», den die Witwe
Musils im Jahre 1943 nur mit Hilfe einer Subskription und in einer
beschränkten Auflage herausgeben konnte, öffnete erst einen kleinen Teil des Nachlasses. Allein die noch unveröffentlichten Kapitel-
entwürfe des Romans füllen nochmals ein umfangreiches Buch.
Daneben entstand eine nahezu abgeschlossene Aphorismensamm-
lung. Rund dreißig Hefte enthalten über viele Jahre verstreute Tage-
buchnotizen, Zeit- und Arbeitskommentare. Eines davon trägt die
provisorische Überschrift «Autobiographie». Musil begann damit
1937. Die Einfälle dazu hielt er sporadisch fest. Er setzte in den
letzten Jahren vor seinem Tode verschiedentlich, meist aus der
unmittelbaren bedrückenden Sorge um die Weiterführung seines
Werkes, zu einem Resümee über sein Leben und seine Arbeit an. Er
wählte dafür entweder die Form des Vermächtnisses, oder die des

Vor- oder Nachworts. Es blieb auch hier fast immer bei kurzen vom Augenblick bestimmten Skizzen. Aber auch in diesem Rohmaterial zeichnet sich schon der klare und legitime Umriß eines Selbstporträts ab.

September 1952                                            Adolf Frisé

# Skizzen zu einer Autobiographie
## (Aus dem Tagebuch-Heft 33: 1937–1941)

Die beiden schönsten Augenblicke in meiner Schriftstellerlaufbahn, ich weiß nicht, ob sie das gewesen sind, aber sie sind mir so in Erinnerung geblieben:

Ich hatte den Ingenieurberuf aufgegeben, war von Stuttgart nach Berlin gekommen, hatte mich an der Universität inskribiert, bereitete mich auf die Gymnasialmatura vor oder hatte sie schon bestanden, besuchte jedenfalls wenig die Vorlesungen und hatte die Zeit benutzt, um die in Stuttgart begonnenen Verwirrungen des Zöglings Törleß zu vollenden. Als ich fertig war, wurde mir das Manuskript von mehreren Verlagen mit Dank zurückgestellt und abgelehnt. Darunter von Diederichs-Jena, auch erinnere ich mich an Bruns in Minden und Schuster und Löffler in Berlin. Es waren Verlage, vornehmlich die beiden ersten, die ich mir mit geisteskindlichen Gefühlen ausgesucht hatte, und wie bei Kindern war die Sympathie auch nicht auf guten Kenntnissen aufgebaut. Es bestürzte mich etwas, daß alle drei, und alle drei auch in gleicher Kürze, nachgeprüft und abgelehnt hatten. Ich wollte damals sowohl Dichter werden als auch die Habilitation für Philosophie erreichen und war unsicher in der Beurteilung meiner Begabung. So bin ich zu dem Entschluß gekommen, eine Autorität um ihr Urteil zu bitten.

Meine Wahl fiel auf Alfred Kerr, und daran war immerhin etwas Merkwürdiges. Vielleicht hatte ich einige seiner Kritiken gelesen, die damals im Berliner «Tag» erschienen, und hatte hinter seiner Schreibart, die mir als Süddeutschem besonders maniriert vorkam und mich, gleich einem fremden Fasching, anzog und ausschloß, das gut Begründete der Sprache und der Urteile gespürt; ich glaube aber die wirkliche Ursache lag in meiner Kenntnis seines Büchleins über die Duse, das in der Sammlung Die Fruchtschale erschienen war, und nicht einmal darin lag sie, sondern ich erinnere mich, daß bloß eine kleine Gruppe von zwei bis vier Sätzen mein «Zugehörigkeitsgefühl» geweckt hatte. Dieses Büchlein hatte ich noch in Brünn gelesen, und die Erinnerung daran ist mit der «Esplanade» verknüpft, einer mit Bäumen bepflanzten Strecke, wo man Sonntags zu Militärmusik auf einer Seite hin- und auf der anderen her ging. Warum das mit dem Buch über die Duse zusammenhing weiß ich nicht mehr, aber ich glaube mich gut zu erinnern, daß dieses hell-grau mit Goldaufdruck und von Kleinquartformat gewesen sei (Prüfen!), und ebenso hängt es mit der Esplanade zusammen. Es mag so gewesen sein: An den entsetzlich langweiligen Sonntagen machte man dort den Versuch der Lebensberührung und alles war so, wie es in kleineren Städten eben ist, und wahrscheinlich hatte ich das Buch unter dem Arm mitgenommen, um interessanter junger Mann zu sein. Auf diese Weise bin ich zu Alfred Kerr gekommen.

Oft hat mich mein Vater ersucht, ich möge ihm etwas erklären, womit ich mich beschäftigte: ich bin nie dazu imstande gewesen. Ich habe das noch heute; wollte ich jemand die Kapitel über Gefühl [siehe «Der Mann ohne Eigenschaften»] erklären, an denen ich nun schon so lange und beinahe schon mit Erfolg schreibe, ich verwirrte mich alsbald und bliebe stecken. Mit Selbstliebe gesehn, wäre es die Grundeigenschaft eines Mannes ohne Eigenschaften, der Unter-schied von den Schriftstellern, die alles klar vor sich haben, das «gestaltende» Denken an Stelle des rein rationalen. Aber es ist auch die große Unklarheit meines Lebens. Ich bin kaum ein unklarer Kopf zu nennen, aber auch kein klarer. Mit Nachsicht: das Klä-rungsvermögen ist stark, das Verunklärende gibt aber nur im einzel-nen nach.

Mein Vater war sehr klar, meine Mutter eigentümlich verwirrt. Wie verschlafenes Haar auf einem hübschen Gesicht.

Selten ein politisches Wort im Elternhaus.

Ich will noch nicht mit mir zu Gericht gehn, ich will bloß erwä-gen, was war.

Die Angst des Kindes vor den Russen und vor den Arbeitern ist ohne Einfluß geblieben. Erwägenswert aber, wie gute Leute, wie meine Eltern, die streikenden und unruhigen Arbeiter zum voraus als bös empfanden. Welche Freude als Militär nach Steyr dirigiert wurde.

Welches Verhältnis hatten wir im Militärinstitut zur Politik? Revolutionen erschienen uns als Unordnung; ich wenigstens hatte nicht die mindeste Sympathie für die französische. (Obwohl wir kaum beeinflußt wurden.) Ich glaube die Figur Napoleons übte den bestimmenden Einfluß aus; nicht seine Person, von der ich noch heute zu wenig weiß, sondern die in ihm verkörperte Weltverach-tung, Kraft und ähnliches. Es ist mir im Nachdenken eingefallen, daß außerdem wohl ästhetische Elemente das Nächstbestimmende sind. Das feierliche Blasen der Hörner, das Wirbeln der Trommeln, die geschlossene Masse. Wir waren weder dynastisch noch auch sehr patriotisch gesinnt; aber gewisse Augenblicke fuhren durch Mark und Bein. Welche Aussicht für das heutige Deutschland?

Später in Brünn war es wohl bloß die Abseitsstellung des jungen Mannes, natürlich doch auch vernünftige Erwägungen, was mich mit dem Sozialismus sympathisieren ließ, so daß beinahe mein erstes literarisches Auftreten das als Theaterkritiker des «Volksfreund» gewesen wäre. Welcher Schicksalswitz, daß der Theaterausschuß in diesem Augenblick dem Blatt den Sitz sperrte! Der Besuch beim Abgeordneten Czech, der Vortrag im Arbeiterheim; muffige Atmosphäre: auch hier waren ästhetische Elemente abstoßend-entscheidend.

Ich muß meinen Eltern durch meine Heftigkeit, die allerdings ein Reflex der Heftigkeit meiner Mutter war, aber doch auch mit einem reizbaren Selbstbewußtsein zusammenhing, große Sorgen bereitet haben. So ist es zu erklären, daß sie mich, obwohl sie mich sonst verwöhnten, in die Militärschule eintreten ließen, die wahrhaftig kein Erziehungsinstitut war. Ich bin also ein schwer erziehbares Kind gewesen, und ich weiß heute, wie hilflos man dem gegenübersteht, ohne die seither ziemlich allgemein gewordenen Erkenntnisse, die also wirklich eine große Leistung unsrer Zeit sind. Aber waren sie vor unserer Zeit vielleicht entbehrlich?

Ich behandle das Leben als etwas Unangenehmes, über das man durch Rauchen hinwegkommen kann! (Ich lebe, um zu rauchen.)

Es sieht aus, als hätte mein natürlicher Werdegang so aussehen müssen: Annahme der Dozentur in Graz. Geduldiges Tragen der langweiligen Assistententätigkeit. Geistiges Miterleben der Wendung in der Psychologie und Philosophie. Dann, nach Sättigung, ein natürlicher Abfall und Versuch zur Literatur überzugehen.

Warum ist es so nicht gekommen? Daß wir vor der Heirat nicht nach Graz wollten, wäre zu überwinden gewesen. Entscheidend war, daß ich naive Hoffnungen in den weiteren Verlauf meiner Schriftstellerkarriere gesetzt habe. Daß ich durchaus nicht wußte, wie gefährlich es im Leben ist, nicht seine Chancen auszunützen.

(Provinziell großartig, verträumt großartig, Folge gesicherter Jugend) Anständigerweise, daß ich mich psychologisch nicht versiert genug fühlte und wenig Freude am psychologischen Experiment hatte; schon in Berlin dem Betrieb ferngeblieben war. Dummerweise, daß ich für mich die Vorstellung: man arbeitet sich in die Materie mit Energie ein, die einem das Leben über den Weg legt: nicht im mindesten anerkannte, sondern mit Energie nur machte, was ich mir selbst aussuchte. Wichtig: daß ich mich wohl immer mit Ethik befassen wollte, aber keinen Zugang wußte, der mir gepaßt hätte. Mit anderen Worten daß ich zu wenig studiert hatte! denn Scheler hat den Zugang gefunden! Daß ich mir eingebildet hatte, das Wichtigere wäre, was man will, aus sich selbst zu holen und erst zur Prüfung und Ergänzung Rat zu suchen. Bei der ersten Belastung durch das Leben ist das zusammengebrochen. Es wäre auch zu sagen: Der Phantast hatte dem Denker ein Bein gestellt.

Noch einmal etwas später hätte ich in den natürlichen Weg einlenken können, wenn ich als Bibliothekar nicht mich mit Dichtung ohne nötige Sammlung gequält, sondern mir gesagt hätte, man könne ein Gelehrter auch außerhalb der Universität werden. Zeit und Bibliothek war da. Ich legte aber das Gewicht auf den Dichter, und obwohl ich mit der Psychologie in Fühlung zu bleiben trachtete, trieb ich von ihr ab. Ursache: Interesseteilung, wobei das größere der Dichtung galt. Zweite Ursache, die auch im ersten Fall eine Hauptsache war: Daß ich ohne bestimmtes Ziel nicht expeditiv bin und auch da nicht immer. Melancholische Schwerflüssigkeit. Fehlen der Neugierde «kennen zu lernen», was vorgeht, die ein Gelehrter in großem Maße braucht. Ich habe mich nie in meiner geistigen Mitwelt «umgesehen», sondern immer den Kopf in mich selbst gesteckt.

Daß ich langsam lese, hat in vielem mein Schicksal bestimmt.
Dabei habe ich eine rasche Auffassung oder hatte sie wenigstens.

Es fällt mir sehr leicht ein, jemand zu töten; ich glaube aber, daß ich es im Alter weniger denn je täte. Es ist die Revolte der inneren Ohnmacht. Der Knabe mit den unernsten Selbstmordideen. Müßte ich diesen Fehler nicht endlich abstreifen? Was gerinnt, am Licht ausbreiten. Ich will also auch meiner privaten Unverantwortlichkeit an den Leib rücken!

Schriftstellerneid? Von den Menschen verlassen sein, die Waffen zerbrochen, den Jubel und die Musik hören, die den triumphalen Einzug von Fortunas Liebling begleiten: gilt es denn nicht als eine tragische Situation?!

Es ist mir verwehrt, in Österreich ein Dichter zu werden:

Mein Vater hat seine ganze Kindheit und Jugend in Graz verlebt, ist dort in die Schule gegangen, von der Kinderschule bis zur Ingenieurprüfung, er hat sich sein Leben lang als ein Grazer gefühlt, und es ist sein größter Schmerz gewesen, daß er nie dort an die Technik berufen worden ist. Aber er ist durch Zufall in Temesvar geboren worden und in Brünn als unfreiwilliger Angehöriger des tschechoslowakischen Staats gestorben.

Sein Vater ist in den besten Mannesjahren nach Graz gekommen, hat sich diese Heimat gewählt, ist dort Arzt gewesen und hat sich dann als Landwirt in der Nähe der Stadt auf einem Gut niedergelassen. Aber er ist geboren worden in Rychtařow in Mähren.

Die Großeltern meines Vaters mütterlicherseits haben in Salzburg gelebt und sind dort gestorben, meine Großmutter vaterseits ist dort geboren.

Meine Großmutter mutterseits ist in Salzburg begraben, so daß ich dort auf dem Friedhof drei Ahnen liegen habe.

Meine Mutter ist in Linz geboren.

Ihr Vater ist einer der vier Erbauer der Bahn Linz-Budweis gewesen, später ihr Leiter, und ich erinnere mich selbst noch an das herrschaftliche in einem schönen Garten liegende Geburtshaus meiner Mutter, wo sie ihre Kindheit verlebt hat. Dieser in die Lokalgeschichte von Linz somit nicht ganz unbedeutend verflochtene Großvater ist aber in Böhmen geboren worden.

Ich selbst bin in Klagenfurt geboren worden.

Meine Kindheit habe ich in Steyr verbracht und ihre Mundart ist das gröbste Oberösterreichisch gewesen, das man sich nur wünschen mag.

Sogar Rosegger ist ein angeheirateter Verwandter von mir gewesen.

Aber keines der Bundesländer beansprucht mich für sich.

Weshalb eigentlich nicht? Weil sie zu provinziell sind, um mich zu kennen, und nirgends ein Familienglied ist, das nachhülfe. Aber bin ich denn nicht auch in die Deutsche Dichterakademie nicht aufgenommen worden. Als mich eine Minderheit vorgeschlagen haben soll, soll mich die Mehrheit wirklich mit der komischen Begründung abgelehnt haben, ich sei zu intelligent für einen wahren Dichter.

Es scheint also etwas an mir und in meinem Leben zu sein, das da mitspricht. «Mann mit zugeknöpften Taschen . . .!» Aber kann man denn paktieren mit diesen Leuten!

Und doch messe ich solche, die sich mir freundlich nähern, durchaus nicht mit der Strenge wie Fremde. Da kennzeichnet mich eine Inkonsequenz, die zu prüfen bleibt.

Ich bin mit derselben Gleichgültigkeit freundlich wie unfreundlich. Ich bin es nur peripher. Ich kann sehr gutwillig sein; aber unter den richtigen Bedingungen? Ich bin lebenslang unausgeglichen geblieben. usw.

Beginnen wir es mit dem Temperament. Ich bin sehr schweigsam, und plötzlich kann ich übersprudeln.

Ich bin doch ganz naiv überzeugt, daß der Dichter die Aufgabe der Menschheit ist, und außerdem möchte ich ein großer Dichter sein. Welche gut vor mir selbst versteckte Eigenliebe!

Nochmals über Geld: Ich hatte als Junge und Jüngling ganz naiv die Meinung, daß Geld ein Familieneigentum sei, von den Eltern also zwar genossen werden dürfe, aber doch so verwaltet werden müsse, daß es mir dereinst ungeschmälert, wenn schon nicht vermehrt zukomme. Ich stellte also auch meine Ansprüche daran, und daß ich bis zum 30sten Jahr nur meiner Ausbildung lebte, erschien mir ganz natürlich. Ich bin kein angenehmer Sohn gewesen.

Mein Vater und seine Brüder hatten dagegen auf ihr väterliches Erbteil verzichtet, um die Mitgift ihrer Schwester zu vergrößern. Dabei fällt mir ein: mein Vater ist Romantiker, letzter Auslauf, gewesen.

Die Art, in der ich für mich in Anspruch nahm, daß meine Wünsche erfüllt werden, ist die eines triebstarken Menschen gewesen. Ich bin «egoistisch», allerdings auf bestimmte Themen beschränkt.

Verhältnis zur Politik: Nicht einmal die Wissenschaft ist sicher, geschweige denn der Dichter. Irgendwo, zum Beispiel in der Abneigung gegen den militärischen Drill, muß er sich immer auf sein Gefühl verlassen. Richtiger gesagt: die Entscheidung, was ich glaube, fällt beim Schreiben. Ich glaube vorher, manches zu glauben, aber im Augenblick der Darstellung wird es mir unmöglich. Mit Fehlerquellen ist dieses Verhalten gewiß behaftet, aber man muß den Dichter nehmen, wie er ist; diese Toleranz muß der Staat haben, oder er bringt die Dichtung zum Versiegen.

Ich habe 1931 Wien verlassen, weil Rot und Schwarz darin einig gewesen sind, an Wildgans einen großen österreichischen Dichter verloren zu haben.

Ich bin so bekannt wie unbekannt, was aber nicht halb bekannt ergibt, sondern eine merkwürdige Mischung.

Schwert und Feder. – Die Feder wie ein Schwert zu führen, Ideal vieler Schriftsteller. Rührt wohl aus den 48er Jahren her. Aber ich bin beim Schwert aufgewachsen, ich bin mißtrauisch gegen diese Vertauschung. Ich weiß, daß ich mit einer Wachskerze fechten müßte!

Ich habe ein sehr geringes Mitteilungsbedürfnis: Eine Abweichung vom Typus des Schriftstellers.

Ich bin undankbar.

Wenn ich anfange, jemand brieflich lieber Freund zu nennen, bin ich böse auf ihn und versuche es zu überwinden. Oder es schaltet sich eine Gewöhnlichkeitsapparatur ein, wie damals im Krieg, als [Johannes von] All. [esch] und ich uns du zu sagen begannen.

Während der rund 10 Manuskripte zu den ersten 200 Seiten des Mann ohne Eigenschaften: Die bedeutungsvolle Selbsterkenntnis, daß die mir gemäße Schreibweise die der Ironie sei. Gleichbedeutend mit dem Bruch mit dem Ideal der Schilderung überlebensgroßer Beispiele. Gleichbedeutend auch mit der Erkenntnis, daß ein

Dichter nicht bis zum philosophischen System vordringen soll (und kann).

Eine Hauptidee oder -illusion meines Lebens ist es gewesen, daß der Geist seine eigene Geschichte habe und sich unbeschadet alles, was praktisch geschehe, schrittweise erhöhe. Ich habe geglaubt, daß die Zeit seiner Katastrophen vorbei sei. Daraus ist mein Verhältnis zur Politik zu verstehen.

Ein junges Wesen, findest du dich eines Tags in einer unbekannten Gegend, von der dir nur das Nächste vertraut ist. Menschen sind bei dir, die dir die nächsten Wege weisen und dich dann verlassen, wenn sie auch gelegentlich wiederkehren. In dieser Gegend, die Verlockendes und Schreck birgt, beginnst du nun vorsichtig, an dich zu nehmen, was dich anzieht, und dich mit dem auseinanderzusetzen, was dich schreckt. So fängst du an, eine so handelnde wie seelische Beziehung zur Welt herzustellen. Ich glaube, das ist die Ausgangslage, worin sich meist der Mensch vorfindet und die für die meisten Dichter einen Beginn ihrer Tätigkeit vorstellt. Die Spuren zum Beispiel bei Thomas Mann.

Anders ich. Habe aggressiv begonnen und mich orientiert, indem ich das Bild der Welt in den höchst unvollkommenen Rahmen meiner Ideen preßte. Das heißt natürlich bloß mehr als andere. Der Wunsch, das Gesetz zu diktieren, unterscheidet sich vom Wunsch, gut zu liegen zu kommen, und von der staunenden Frage: wie liege ich denn überhaupt da?: so ungefähr wäre es auszudrücken.

Die starke Realistik des Denkens kommt erst innerhalb des zuvor geschehenen eigenen Zurechtbildens zum Wort.

Und erst Mitte 40 und 50 hole ich die erstaunte Frage nach: wie bin ich geworden, bin ich recht geworden usw.?

Das Verhältnis des Dichters zu seiner Zeit. Daß man nicht mitgeht, zurückbleibt, den Anschluß versäumt, nicht beiträgt und ähnliches: Ich habe mich spezifisch dichterisch geöffnet: Dostojewskij, Flaubert, Hamsun, d'Annunzio und andere: Nicht ein Zeitgenosse ist darunter gewesen! 20–100 Jahre früher haben sie geschrieben!

Das Favorisieren der [Landsmännischen] Lokaldichter (Rosegger usw.) ist auch ein Symptom des Verfalls des allgemeinen Begriffs der Dichtung.

Wenn ich bedenke, welche Erfolge ich mit angesehen habe! Von Dahn und Sudermann bis George und Stefan Zweig! Und da erklären sie es für Snobismus oder Dekadenz, wenn man das Publikum verschmäht! Erklär dir, wie es wirklich ist.

Mein Begriff der Literatur, mein Eintreten für sie als Ganzes, ist wohl das Gegengewicht zu meiner Aggression gegen die einzelnen Dichter. Gewiß anerkenne ich vorbehaltlos, wo ich es tue, aber ich werde viel öfter abgestoßen als angezogen. Mit der Zeit mag sich auch eine Unart daraus gebildet haben. Ich mache mir darum einen utopischen Begriff der Literatur.

Wenn ich doch endlich zum Schreiben darüber komme, muß ich es mir zur Haltung wählen. Immer der Literatur geben, was ich dem Einzelnen abspreche!

Eigentlich müßte doch meine Lebensgeschichte dadurch interessant sein, daß ich ein sehr disziplinierter Schriftsteller, ein strenger, bin, meine Aszendenz aber allerlei Belastendes aufweist. Meine ruhigen Großeltern. Ihre «originellen» Söhne. Der epileptische, früh verstorbene Sohn mit dem inselartigen Zahlengedächtnis. Der geisteskranke Vorfahre, von dem ich augenblicklich nicht weiß, ob er der Erblinie angehört oder einem Seitenzweig.

Psychisch übergegangen auf mich durch die Mutter. Ich will ihren Wunsch erfüllen, nichts Schlechtes von ihr zu reden. – Die heroische, edle Seite ihres Charakters, ihre Kindesliebe zu Vater und Brüdern. Was kann vom übrigen gesagt werden? Große nervöse Reizbarkeit; Heftigkeit und Weiterbohren eines Reizes bis zum Ausbruch. Heftigkeit übergehend in Weinkrampf. Abhängigkeit dieser Vorgänge von inneren. Auf gesteigert glückliche oder verhältnismäßig harmonische Tage folgte unweigerlich ein zum Ausbruch treibender. Der Zusammenhang mit ihrer Ehe unklar. Sie hat meinen Vater geschätzt, aber er hat nicht ihren Neigungen entsprochen, die anscheinend in der Richtung des männlichen Mannes gegangen sind. Späterhin hysteroide Züge. Aber auffallenderweise ohne Lüge, auch ohne Theatermachen. Also wohl eher ein nervöses Nichtzurechtkommen mit etwas, das zur krampfartigen Reaktion geführt hat, wie es bei schwachen Personen auch ohne Hysterie vorkommt. In dieser Art ein Kampf um meine Sohnesliebe und Sohnesbewunderung.

Aber niemals ein Streit der Eltern um die Vormacht über das Kind.

Immer die Form der Heftigkeit. Von mir teils aus gleicher Anlage erwidert; auch ich bin von Natur heftig, auch ich steigere mich nervös, anstelle eines ruhigen Entschlusses. Diesen, die normale Reaktion, habe ich niemals kennen gelernt. Mein Vater hat nur gesucht, mit guten Ermahnungen auf mich einzuwirken. Ich habe immer den Eindruck gehabt, daß er bei diesen Streitigkeiten beiseite trete. Als wollte er nicht entscheiden. Er ist seltsam gewesen. Andernteils hat mir der knabenhaft-männliche Bereich mitgesprochen, der sich von einer Frau nicht auszanken lassen wollte. So war in dem Verhältnis auch etwas Geschlechtlich-Polares, ohne daß wir es spürten. Um mein zehntes Jahr haben sich diese Szenen so gesteigert (es ist bei uns wohl auch ein intellektueller Protest dabei gewesen, ich wollte meine «geistige» Unabhängigkeit haben, und ein wiederkehrender Vorwurf war der, daß ich nicht kindlich-liebevoll sei), daß ich im Einvernehmen aller drei in ein Institut gegeben worden bin.

Bei meinem Vater haben wohl auch die Aussichten auf die Laufbahn mitgesprochen.

Die Schilderung einer «k. u. k. Militär-Erziehungs- und Bildungsanstalt» wäre seltsam genug, auch abgesehen von der Wichtigkeit des Zöglings für die spätere Politik.

Die Umformung im Törleß.

Die Wahrheit. – Gehörte sie zur Franzisco-Josephinischen Ära oder ist der Ursprung älter? Es war noch etwas daran wie der Grundsatz, der Offizier solle aus der Mannschaft hervorgehn. 48? Grenzergeist? Gleiche Grundidee wie die alte Kadettenschule? Ich müßte nachlesen. Sagen wir, spartanisch.

Die Erziehung war, mit Ausnahme der Akademie, fast ganz unteroffiziersmäßig. Die Lehrgehilfen und der Klassenfeldwebel (und meine Opposition gegen ihn). Die Monturen und das Schuhwerk. Die bloß nicht passende Paradeuniform und die aller Beschreibung spottenden Schulmonturen. Ärger als Sträflinge. Die Waschgelegenheiten und «Globusterbeeren». Die Abtritte.

Dabei ein Bild der Schulwiese in Eisenstadt mit den überall turnenden Zöglingen.

Meine Reinlichkeit heute noch eine Überkompensation?

Warum haben meine Eltern nicht protestiert? Heute noch unverständlich. Mensch!

Man hat mir in meiner Kindheit und Jugend oft gesagt: du bist wie dein Großvater (vaterseits)! Das hieß: eigensinnig, energisch, auch erfolgreich, schwer umgänglich, und doch mit einem Unterton der Achtung gesagt. Es wurde nie ins Einzelne verfolgt, erklärt und beurteilt. Ich habe es immer gern gehört. Solche Kindern gemachte Bemerkungen sind wichtig; ungreifbar, werden sie zu Leitsternen, stärken die Eigenliebe auf fruchtbare Art usw. Das Merkwürdige ist das Hereinspielen des Halbausgesprochenen, Phantasieanregenden. Es hat etwas vom Wesen des dichterischen Vergleichs.

Ich erinnere mich, daß Hofmannsthal die Grigia sehr gelobt hat, aber den Einwand machte, daß es nach seiner Meinung bedauerlich sei, daß ich der Konstruktion der Erzählung, dem Rahmen, nicht mehr Aufmerksamkeit geschenkt hätte. Ich erinnere mich, geantwortet zu haben, daß, und wohl auch warum, ich es mit Absicht unterlassen hätte, ohne jedoch tiefer auf diese Frage einzugehen.

Heute ist mir eingefallen: Ich habe dem Einwand eigentlich immer recht gegeben und mir den gleichen Vorwurf gemacht; Eile und teilweis Gleichgültigkeit haben sich im Gedächtnis als Ursachen befestigt.

Vielleicht ließe sich sagen: Die Wissenschaft strebt nach dem Allgemeinen, die Kunst nach dem Exemplarischen.

Mein Großvater ist ein Mann gewesen, der seinen Kreis durchbrochen und dabei Erfolg gehabt hat. Mein Vater hat ganz innerhalb des ihm Gegebenen gestrebt, durchaus in Anpassung an die Möglichkeiten, und nur zuletzt (Wien, Graz) ohne Erfolg. Ich bin wie mein Großvater (meinem Vater eigentlich unverständlich), aber ohne Erfolg. Alois [berühmter Orientalist, Mitglied der Royal Society] hat das Schicksal meines Großvaters, seines Großonkels, wiederholt.

«Er ist der größte heute lebende Dichter!» Sie sollten sagen: den ich noch verstehe!

Wenn es mir geschmeichelt hat, daß Philosophen und Gelehrte meine Gesellschaft gesucht und meine Bücher vor anderen ausgezeichnet haben, welch ein Irrtum! Sie haben nicht meinen philosophischen Gehalt gewürdigt, sondern sie dachten, hier wäre ein Dichter, der den ihren verstünde!

Ich bin nicht redselig (und auch nicht unmittelbar schreibselig): welche Paradoxie für einen Dichter! – Aber aufs völlig Ausgebrannte, wie ein Philosoph, gehe ich auch nicht. Ich gleiche einem Hund, der seinen Knochen beiseite trägt, indem ich das im Lauf der Konzeption oder Aufnahme Überdachte «sich setzen» lasse, oft auf Nimmerwieder, manchmal bis ein neuer Einfall davon Gebrauch macht. Man könnte das zum Teil wohl auch Phantasiemensch nennen. Aber es gibt eine versenkte Phantasie und eine geschäftige. Die versenkte Phantasie des stillen Kindes, durchkreuzt von einer gewissen Anlage zum Geschichtenausdenken, ist meine gewesen.

Ich weiß nicht, wozu man lebt: könnte ich sagen. Was lockt, lockt mich nicht. Schon von Kindheit an. Mit wenigen Ausnahmen. Das ist der unfröhliche und «unappetitive» Mensch. Nach der vorherrschenden Psychologie, wäre da nicht zu erwarten, daß ich mir die Genüsse durch Schreiben verschaffe? Ich schreibe aber auch nicht gern, wiewohl leidenschaftlich. Wahrscheinlich muß man das Leben lieben, um leicht zu schreiben. Es müßte also locken, und dazu eine Umleitung auf die Schreiberfüllung. Der Mensch, dem nichts dafür steht, welche Spezialität ist der?

(Ende September 1939 in Genf) Gestern habe ich, etwas suchend, viele Hefte durchblättert, was mit großer Niedergeschlagenheit endete. Manchmal ein guter Einfall, fast nie ein Fortschritt. Es kommt freilich auch davon, daß sich ganze Hefte mit einer speziellen Situation beschäftigen, z. B. mit den Vereinigungen. Aber ich habe nie etwas über die Anfänge hinausgeführt (allerdings die Bücher, die Narben davon tragen, beendet). Es hätte so nahe gelegen, die Überlegungen ordentlich auszugestalten; das wären Abhandlungen oder Bücher geworden, die ein kleines Lebenswerk ergäben.

Aber ich habe es weder gewollt noch fühle ich mich selbst heute dazu imstande . . . Ich hatte gestern den Eindruck einer Person, die nichts taugt und nicht bestimmt war, etwas Bedeutendes zu erreichen.

Dabei ist mir eingefallen: wenn es noch eine Rettung geben sollte, müßte ich wohl nicht aus diesen Heften schreiben, denn zu Ende werde ich diese Gedanken niemals führen können, ja nicht einmal zur Bedeutung; sondern ich müßte über diese Hefte schreiben, mich und ihren Inhalt beurteilen, die Ziele und Hindernisse darstellen. Das ergäbe eine Vereinigung des Biographischen mit dem Gegenständlichen, also der beiden lange miteinander konkurrierenden Pläne.

Titel: Die 40 Hefte.

Haltung: die eines Mannes, der auch mit sich nicht einverstanden ist.

Ein Grundfehler: Fremde Schmerzen, Bemühungen, Leistungen vermag ich selten anzuerkennen, nehme sie als selbstverständlich hin: darum lehne ich als Kritiker auch so leicht ab und sehe nur auf das Defizit statt auf die Addition. Ein Junge, der immer voll Anerkennung für die Güte oder das Können anderer war, könnte einen anderen, aber guten Typus Kritiker, einen wahren Ordner, ergeben.

Meine Bescheidenheit: Ich bin auf das äußerste vielseitig ungebildet . . . (Ich bin von sehr vielseitiger Unwissenheit.)

Als einer der stärksten alten Kriegseindrücke fällt mir nach und nach (und mit einemmal) auf, daß ich plötzlich von lauter Menschen umgeben war, die nie ein Buch lasen; daß man Bücher schreibe, außer fachlichen, sich nicht als etwas Anständiges vorstellen konnten; und es für völlig richtig hielten, daß man die Zeitung, und nichts als die Zeitung, lese. Ich glaube, daß sich höchstens in jedem Bataillon ein Mensch fand, der wußte, was lesen ist. Welche unerwartete und breite Berührung mit dem Durchschnittsleben! (Siehe: die Notiz über den Fachbeirat, der nur Blätter großer Parteien las.)

Einen Brennofen (Porzellanbrennerei, Ziegelbrennerei) kann man nicht in jedem Augenblick öffnen: Erklärung, weshalb die Arbeit, auch wenn sie nur schleichend von statten geht oder wenn ich nicht arbeite, nicht gestattet, einen Brief zu schreiben.

Es scheint eine für mein Leben typische Situation zu sein: Ich befinde mich in Genf und kein Mensch kennt mich, zu keiner die Kunst berührenden Veranstaltung werde ich eingeladen, Prof. Bohn.[enblust], der kleine Papst, schneidet mich. Und ähnlich in der ganzen Schweiz. Es erinnert an das Brünn früher Jugend, wo Strobl für eine das Höchste versprechende Erscheinung galt und ich für den «Paraphrasen»-macher.

Morgens spontan den Einfall gehabt: Es gehört eigentlich ins 40. oder 50., aber nicht ins 60. Jahr: Wer und wie bist du? Was sind deine Grundsätze? Wie gedenkst du das abzurunden?

Jedenfalls ein Schriftsteller dieser Epoche. Mit viel und wenig Erfolg. Das ist interessant genug.

Oft das starke Bedürfnis, alles abzubrechen. Halte dann mein Leben für verfehlt. Habe kein Vertrauen in mich; schleppe mich aber arbeitend weiter, und aller zwei, drei Tage scheint es mir einen Augenblick wichtig zu sein, was ich schreibe. Ich habe auch nach mir und meinen Erfahrungen und Grundsätzen so zu fragen, wie es diesem Zustand entspricht. Nicht weil es interessant sein könnte, sondern weil es in einer Lebenskrisis geschieht. Davon fiele auch genug Licht auf die Umzeit.

Beschluß: (wie lange hält er vor??): So will ich das Buch zum 60. Jahr schreiben! So könnte ich schon die Anfangslinien ziehen.

Ich kann aus verschiedenen Gründen nicht in dieser Zeit für mich plädieren. Ich erwarte auch keine bessere. Ich kann sie höchstens supponieren. Am Vielleicht.

Je älter man wird, desto mehr findet man sich ab.

Man hängt weniger am Leben (Hat es satt). Einesteils, weil man seine Traurigkeit usw. kennt. Andernteils, weil die Triebe nicht mehr so hungrig und unabgenutzt (scharfe Messer) sind wie in der Jugend. Auch fügt man sich mit der Zeit ins Unentrinnbare. Das ist ein großes Heil.

In welchem Maße tritt auch ein positives, metaphysisch beeinflußtes Verhältnis hinzu? Wende beim Tod meiner Mutter.

(Das meiste gilt für den Menschen der 2 großen Kriege schlechthin.)

Die «Lebensgefährtin» – Neben vielen recht zweifelhaften Lebens-einfällen hat die Sozialdemokratie während der Zeit ihrer Herr-schaft dieses Wort und diesen Begriff hervorgebracht. – Gefährtin ohne Sakrament und staatlichen Zwang. Bloß Würde des Men-schenlebens. – Gemeinsame Hinnahme von Freud und Leid durch viele Jahre ist keine Leidenschaft, aber eben etwas mehr an die Konstitution Gehendes. – Bestimmtsein, gemeinsam das Leben zu tragen. Seine ungeheure Zweideutigkeit und Unverläßlichkeit. – Man ist von Kind auf bestimmt für eine solche Gemeinschaft. Man will die Lebensgefährtin haben, ehe noch das Geschlechtliche fer-tig und anwendungsbereit ist. Solche Menschen können füreinan-der bestimmt sein. – Das Geschlecht ist eine der Naturgewalten, denen sie sich gemeinsam ausgesetzt sehen. – Sie wecken es nicht ineinander, sie empfangen es voneinander. – Es ist gut, wenn sie sich nicht jungfräulich gefunden haben. – Sie wandeln das Heim-tückische in Vertrauen. – Keiner nimmt dem andern ein Stück Welt fort – Es gehört dazu, daß einer den andern bewundert, in dem Maße als der es braucht. Oder wenn er es nicht tut (Schön-heit, Lyrik), daß der es einsieht. Oder daß sie sich gemeinsam wundern (nicht bewundern), beisammen zu sein. – «Ergänzen» ist angenehm, aber bewundern muß doch auch dabei sein. – Nachgie-bigkeit, die den Eigensinn nicht dadurch beleidigt, daß sie zu allge-mein ist usw: es gehört viel einzelnes hiezu. – Ich kannte eine glückliche Ehe; er schauspielerisch ehrgeizig und erfolgreich, sie intrigant ehrgeizig, förderte ihn durch Ehebrüche, von denen er nichts wußte, als daß er die mirakulösen Erfolge bewunderte. – Im allgemeinen sind Gemeinschaften besser, denen der Ehebruch u ä. vorangegangen ist.

Ich werde einmal sagen müssen, warum ich für die «flache» Experi-mentalpsychologie Interesse habe und warum ich keines für Freud, Klages, ja selbst für die Phänomenologie habe.

Zu meinem Verhältnis zur Politik gehört: Ich bin ein Unzufriede-ner. Die Unzufriedenheit mit dem Vaterland hat sich sanft ironisch niedergeschlagen im Mann ohne Eigenschaften. Ich bin aber auch von der Untauglichkeit des Kapitalismus oder des Bürgertums überzeugt, ohne daß ich mich ja für seine politischen Gegner hätte entschieden. Gewiß darf der Geist unzufrieden mit der Politik sein.

Aber der Geist, der da keine Kompromisse versteht, wird ausgleichenden Männern als zu individualistisch erscheinen.

Von der Realität ausgehend: Das Nebeneinander von Interessen ganz verschiedener Dimension in mir. Die Zukunft und Schuld Deutschlands und der Welt und mein Bedürfnis, mein Werk richtig hinzustellen. So etwas ist störend, zugleich aber auch der reale Ausgangspunkt!

Aufzeichnungen *eines* Schriftstellers nähme es auf unpersönliche Art. Ich müßte aber auch eine Art haben, wenn nicht mein Werk, so doch meine (einstige) Absicht wichtig zu nehmen. Soweit das nun in den jetzigen Problemkreis des Mann ohne Eigenschaften mündet, ginge es verhältnismäßig leicht. Wie aber die älteren Sachen? Unzeitgemäßer, so berühmter wie unbekannter Schriftsteller? Gegenteil in allem eines Großschriftstellers! Oder einfach Rekonstruktion des schier unbegreiflichen Wegs. Ausgehend von der Jugend, die das Genie, das alles anders machende, im Leibe fühlt? Dazu müßte aber auch der Endpunkt, der Zustand bestimmt sein, in dem die Niederschrift erfolgt. Beherrscht mich Hoffnung, und welche, oder Müdigkeit? Die Wahrheit ist wohl: Überdruß. Aber das ist kein Schaffenszustand. Die Wahrheit ist: Ich beanspruche keinen Erfolg. Aber warum denn nicht? Ich habe ihn doch beinahe! Die Antwort führte wohl auf das Utopische oder die utopischen Voraussetzungen meines Werks. Auf: Literatur als Utopie. Auf den nicht appetitiven, kontemplativen Menschen, für den auch biographisch vieles spricht. Die Ergänzung müßte sein: Bestimmung seiner Funktion und Aufgabe in der wirklichen Welt . . .

Unentschlossenheit: die Eigenschaft, die mich am meisten gequält hat, die ich am meisten fürchte.

Ich halte es für wichtiger ein Buch zu schreiben als ein Reich zu regieren. Und auch für schwieriger.

Jeder erlebt die Symbole seiner Zeit. Bloß werden sie ihm oft erst spät verständlich.

Einfall: Ich bin der einzige Dichter, der keinen Nachlaß haben wird. Wüßte nicht wie.

# Theoretisches zu dem Leben eines Dichters (1935)
## (Entwurf einer Vorrede zum «Nachlaß zu Lebzeiten»)

Es muß ein Bedürfnis nach nachgelassenen Schriften geben, denn sonst gäbe es diese Schriften nicht in solcher Anzahl; aber mir ist es, weiß Gott, fremd. Die Herausgabe von Nachlässen ist mir selten anders als eine übelangebrachte Ehrfurcht erschienen; wenn es überhaupt Ehrfurcht ist, und nicht unter deren Vorwand Geschäftigkeit und Geschäftsgeist und Ausbeutung der verzeihlichen Schwäche, die das Publikum für einen Dichter hat, der es zum letzten Mal in Anspruch nimmt.

Nicht umsonst hat schon das Wort Nachlaß einen verdächtigen Doppelgänger in der Bedeutung, etwas billiger zu geben. Auch der Nachlaß des Künstlers enthält das Unfertige und das Ungeratene, das Noch nicht- und das Nichtgebilligte. Außerdem haftet ihm die peinliche Berührung von Gemächern an, die nach dem Ableben des Besitzers der öffentlichen Besichtigung freigegeben werden. Ich weiß freilich, daß es auch wunderbare und überraschende Nachlässe gibt . . .

Man muß genauer sein, wenn man schon darüber reden will. Es gibt fünf Arten Nachlässe. Erstens, die blühenden. Der Lebende kann gerade in einer Wandlung gewesen sein; oder er war in seinem öffentlichen Werk von ästhetischen Repräsentationspflichten behindert, die er sich selbst auferlegt hat, und ist dort, wo er sich unbefangen gibt, quellenreicher, als man dachte. In diese Gruppe gehören als geheimes Anstück auch die nicht zu veröffentlichenden Nachlässe und die im voraus erst zur posthumen Veröffentlichung bestimmten Urteile über Zeitgenossen und Zeiterscheinungen. Eine zweite Gruppe bilden die Nachlässe, durch die ein Autor überhaupt erst nachträglich ersteht; ich glaube, Büchner wäre ein großes Beispiel dafür, aber auch Novalis. Eine dritte Gruppe bilden die lehrreichen. Unfertige Zustände, wie der prachtvoll angelegte [Lucien] Leuwen Stendhals, der doch noch nirgends die letzte Farbe hat; Abwandlungen wie die Schriften Nietzsches bei schon deutlicher Krankheit gehören dazu. auch Vorstudien u ä. Das erlaubt ungemein wichtige Schlüsse, die allerdings meist auf sich warten lassen, gehörte aber eher in die ästhetische Prosektur als hinter offene

Türen. Die letzte Gruppe der Nachlässe bilden dann erst die überflüssigen.

Zu diesen wird jedenfalls der meine gehören.

Was immer sich sonst noch darüber sagen ließe, ich habe beschlossen, die Herausgabe meines Nachlasses zu verhindern, ehe es soweit ist, daß ich das nicht mehr tun kann; als ein Mittel dazu fange ich an, ihn selbst herauszugeben.

Man mag billig einwenden, ob ich denn so sicher sei, daß man es mit mir überhaupt versuchen werde. Darauf vermag ich aber Rede zu stehen, denn es wird ganz davon abhängen, wann ich die Ehre haben werde, kein gegenwärtiger Mensch mehr zu sein. Wäre ich ihrer z. B. mit 27 Jahren, oder mit . . . Jahren teilhaftig geworden, ich hätte einen Nachlaß bekommen, selbst wenn es nicht anders gegangen wäre, als auf die Schulaufsätze zu greifen! Das waren Zeiten der Literatur, wo es den Toten besser erging als heute den Lebenden!

In vielen dazwischen liegenden Jahren hätte ich dagegen die deutsche Literatur höchstens mit dem Abgangszeugnis verlassen: Betragen ungewöhnlich; Begabung zart, wenn auch zu Ausschreitungen neigend (Noch heute werde ich in einem vielbenutzten österreichischen Schullesebuch als «perverser» Schriftsteller angeführt); hat, nach überschätztem Anfang, mäßige Beachtung in einem Kreis von Liebhabern des Besonderlichen gefunden. Das wäre noch freundlich gewesen.

Ich habe mir vorgenommen, das zum allgemeinen Nutzen heute etwas eingehender noch auszuführen.

Mein erster Erfolg ist mit meiner ersten Veröffentlichung «Die Verwirrungen des Zöglings Törleß» zusammengetroffen. Er hat sogar bis heute angedauert, aber in jenen Jahren galt der kleine Roman, den ich geschrieben hatte, dreifach: als das starke Wort einer neuen «Generation», als ein Schlüsselwerk des Erziehungswesens, und als Gesellen-, wenn nicht Meisterstück/Antritt/erstes Auftreten/Antrittsrede/*Probestück*/eines jungen Dichters, in den man die größten Erwartungen setzte. Ich bekam kritische Zustimmung und eifrige Anfragen aus aller Welt.

Abgesehen von dem Gewinn der Freundschaft einiger bedeutender Kritiker, die größtenteils auch vorgehalten hat, schien dieser

Erfolg aus einer Reihe von Mißverständnissen zu bestehn. Man rühmte an mir die «Psychologie» und den «Realismus», und viele glaubten ein «Erlebnis-», wenn nicht gar «Bekenntnisbuch» vor sich zu haben; namentlich Pädagogen wollten von mir «Genaueres» erfahren, worin ich sie in meinen Antworten dann nach Kräften enttäuschte.

Die Wahrheit war, daß ich auf den vorgezeigten «Stoff» selbst gar keinen Wert legte. Natürlich hatte ich Ähnliches mit eigenen Augen einmal gesehn, aber es bewegte mich persönlich so wenig, daß ich es zwei Jahre, bevor ich es selbst benutzte, einem anderen jungen Schriftsteller erzählte, dessen krasser Realismus mir für diesen Stoff viel geeigneter erschien, und ihm fest versicherte, daß dies ein Stoff für ihn wäre, aber nicht für mich. (Ich selbst versuchte mich damals in einer Art lyrischer Meditationen) Soviel über das «Erlebnis- und Bekenntnisbuch». Warum ich dann (1902/03) doch den Stoff selbst anpackte, weiß ich nicht mehr zu sagen; ich glaube es geschah in einer besonderen Lebenslage aus Langeweile und auch, weil ich mich, nachdem ich für meine Gedankenpoesie keinen Verleger gefunden hatte, etwas fester auf die Erde stellen wollte.

Länger haftete mir der Ruf des Psychologen an. Ich habe mich von Anfang an gegen ihn gewehrt (und konnte es tun, weil ich wirklich Psychologie studiert hatte und damals sogar auf ein Haar an einer Universität für sie habilitiert worden wäre). Denn was an einer Dichtung für Psychologie gilt, ist etwas anderes als Psychologie, so wie eben Dichtung etwas anderes als Wissenschaft ist, und die unterschiedslose Anwendung des Worts hat wie jede wichtige Aequivokation schon viele verwirrende Folgen gehabt. Ich glaube, die Unterscheidung wird sogar heute noch nicht genug beachtet und z. B. fast jedes Mal außer acht gelassen, wenn sich Forscher auf Dichter berufen, als sollten ihnen diese das Material oder eine fertige Vorstufe liefern.

Die Unterscheidung selbst ist einfach: Dichtung vermittelt nicht Wissen und Erkenntnis.

Aber: Dichtung benutzt Wissen und Erkenntnis. Und zwar von der inneren Welt natürlich genau so wie von der äußeren.

Wie sie sich verflechten, ergänzen und teilen sollen: es ginge nicht nur über den Rahmen von «Bemerkungen» hinaus, sondern es kann auch noch gar nicht als aufgeklärt gelten. Doch was mich selbst betrifft, will ich auf 2 Folgerungen aufmerksam machen:

Ich habe die Antwort mit Anstrengung zu suchen begonnen, als ich mein zweites Buch schrieb, die 2 Novellen Vereinigungen, und vornehmlich deren erste. Das Anekdotische dieses Falls ist so: Ich war aufgefordert worden, in einer literarischen Zeitschrift, der von F[ranz] B.[lei] damals herausgegebenen . . ., eine Erzählung zu veröffentlichen. Meine Absicht war, mir schnell und ohne viel Bemühen eine Gelenkprobe zu geben und die übliche galante Erzählung ein wenig im Sinn irgendwelcher Gedanken, die mich gerade beschäftigten, zu spiritualisieren. Das sollte mich 8 bis 14 Tage kosten.

Was daraus wurde, war ein 2½jähriges verzweifeltes Arbeiten, währenddessen ich mir zu nichts anderem Zeit gönnte.

Verschärft dadurch, daß der Effekt – eine kleine Erzählung, deren Rahmen keine Ellbogenfreiheit gewährte – unmöglich dem Arbeitsaufwand entsprechen konnte.

Was schließlich entstand: Eine sorgfältig ausgeführte Schrift, die unter dem Vergrößerungsglas (aufmerksamer, bedachtsamer, jedes Wort prüfender Aufnahme) das Mehrfache ihres scheinbaren Inhalts enthielt. Ich hatte nichts getan, um das zu erleichtern. Im Gegenteil, selbst die Interpunktion gliederte den Inhalt nicht für den Leser, sondern nur für das gewählte Gesetz. Ich habe sogar eine vorsichtige, liebenswürdige und kluge Bitte des Verlegers eigensinnig abgelehnt.

Für mich entstand ein großer Mißerfolg daraus.

Wieder zeigt sich, was so oft geschieht, daß Erstlingswerke Blender sind: schrieben die, denen ich schon anfangs nicht gefallen hatte. Schrieben, die ein Erlebnisbuch begrüßt hatten. Schrieben aber auch die meisten meiner Gönner. Mir sind im ganzen Leben sehr wenig Menschen begegnet, die gespürt hatten, was dieses Buch sein sollte und gewiß z. T. auch ist.

Es ist das einzige meiner Bücher, worin ich heute noch manchmal lese. Ich ertrage keine großen Stücke. Aber ein bis zwei Seiten nehme ich jederzeit – abgesehen von bestimmten schmerzlichen Ausdrucksmängeln – gern wieder in mich auf.

Was sich in diesen 2½ Jahren vollzogen hatte und die angesponnenen Überlegungen fortzusetzen gestattet, bedeutete zweierlei: 1) die Abwendung / deutliche Wendung: denn schon im Törleß war es angedeutet / vom Realismus zur Wahrheit 2) von der Psychologie, die ein realistisches Element ist, zu etwas ihr Ähnlichem und doch von ihr gründlich Verschiedenem, dem ich zunächst keinen Namen geben will.

ad 1) Was der Realismus unter Wahrheit verstanden hat, war: Aufrichtigkeit, Mut, Schilderung der Dinge, wie sie wirklich sind, ohne sie zu beschönigen. Das ist gut, das sollte unvergeßlich sein, aber das ist zu wenig.

(Ein Wahrheitsbuch. Was man unter Wahrheit verstanden hat)

(Mit einer als Reaktion verständlichen Neigung zum Brutalen)

Es ist klar, daß Wahrheit nicht sowohl ein relativer Begriff in die Breite ist, da nebeneinander das Verschiedenste für wahr gilt, als auch in die Tiefe relativ ist. Die Wahrheit des Realismus ist die einer getreuen Schilderung der Oberfläche gewesen. Die Gliederung in die Tiefe führt dagegen auf die Frage, wie sich Dichtung mit Wahrheit überhaupt verträgt, welches wunderliche Zusammenleben sie mit ihr führt.

: Wozu benutzt Dichtung Erkenntnis? Inwieweit ist sie an die Wahrheit gebunden? Wie behandelt sie sie? Was ist sie, wenn weder Photographie noch Phantasie, Spiel, Schein? Ohne Zweifel wäre es schwer, wenn nicht unmöglich, darauf eine ausreichende Antwort zu geben. Eine Reihe von Fragen, jede interessant, keine endgültig zu beantworten. Ich habe einigemal Skizzen dazu veröffentlicht, aber sie erheben nicht den Anspruch zu genügen. Wahrscheinlich bestünden da zuerst sogar mehrere Theorien gleichberechtigt nebeneinander.

Ich weiß nicht einmal, ob ich das, wofür ich mich persönlich entschied, richtig wiedergebe, wenn ich sage: Die Dichtung hat nicht die Aufgabe das zu schildern, was ist, sondern das was sein soll; oder das, was sein könnte, als Teillösung dessen, was sein soll.

Mit anderen Worten: Dichtung gibt Sinnbilder. Sie ist Sinngebung. Sie ist Ausdeutung des Lebens. Die Realität ist für sie Material. (Aber: Sie gibt auch Vorbilder. Und sie macht Teilvorschläge)

Zwei Fragen knüpfen sich daran. a) Was ist Sinn? b) Tut sie wirklich nichts sonst?

Zu a) Sinnvolles Erfassen ist etwas anderes als müchternes Verstehen. Es ist nicht nur Verstandes-, sondern in erster Linie Gefühlsordnung. Sinngebung ist jedenfalls auch innere Lebensgebung. Ohne Frage, sie ist – was ja auch schon ausgesprochen wurde – mit dem Religiösen verwandt; sie ist ein religiöses Unterfangen ohne Dogmatik, eine empiristische Religiosität. Eine fallweise.

Die Lösung solcher Fragen liegt am Ende unendlicher Prozesse.

Aber wenn sie auch so gut wie unmöglich ist, der einzelne Schritt erscheint uns viel bestimmter. Der Unterschied, etwas sinnvoll und es sinnarm zu erleben, ist bekannt. Es muß nicht der letzte Sinn sein. Und so ist es auch in der Kunst.

Wir erfassen etwas nicht gedankenlos und unbeteiligt oder mit konventioneller Beteiligung, sondern wir werden aufgerührt, werden erweckt (d. h. in ganz neue Gefühls- und Gedankenzustände geworfen), wir lernen uns selbst gegenüber und dem Leben gegenüber um.

Ich habe Dichtung einmal eine Lebenslehre in Beispielen genannt. Exempla docent. Das ist zuviel. Sie gibt die Fragmente einer Lebenslehre.

Zur Dichtung gehört wesentlich das, was man nicht weiß; die Ehrfurcht davor. Eine fertige Weltanschauung verträgt keine Dichtung. Sie muß für sie ein KPQ [Kriegspressequartier] errichten. Eine Speichelleckerabteilung.

Das gilt für alle Arten vermeintlich fertiger Weltanschauungen.

Dichtung ist lebendiges Ethos. Gewöhnlich eine Schilderung moralischer Ausnahmen. Aber von Zeit zu Zeit auch eine Zusammenfassung der Ausnahmenmoral.

Hier knüpfen alle die Fragen an: Dichtung und vollkommener Staat. Dichtung und Handeln. Dichtung und Politik. Die Ausnahmestellung und die Wichtigkeit des Dichters.

Zu b) (s. o): Sie tut sogar in erster Linie anderes. – Wirkliche Dichtung unterscheidet sich von alltäglicher sofort anders: Dichte der Beziehungen (Inbeziehungen). Reinheit der Gestalt (Strenge der

Form), Vermeidung alles Überflüssigen (kürzester Weg), Größe der Sprache (an einem Wort läßt sich oft der Dichter sofort fühlen); wie wir an einer eintretenden Person sofort bemerken, daß sie eine Persönlichkeit ist, fühlen wir es auf der ersten Seite eines Buchs; dann aber auch Eigenschaften wie: Erzählerischkeit, Spannen, Vorgänge, fesselndes Milieu usw.

Man faßt es als die formale Gruppe der Eigenschaften zusammen.

Über das Verhältnis von Form und Inhalt siehe [den Essay] Literat und Literatur [1931]

zT. ist das einfach historisch-Handwerklich.

Man muß es können. Die Frage des: warum, entscheidet da nicht. Warum gibt es überhaupt Dichtung (und nicht bloß Essay)?

Das war der in den Vereinigungen angebahnte Weg.

Es bleibt die Frage nachzuholen, wie sich das im Verhältnis der Dichtung zur Psychologie ausdrückt. Ich hatte den Weg zu beschreiben, der von einer innigsten Zuneigung beinahe bloß binnen 24 Stunden zur Untreue führt. Es sind psychologisch hundert und tausend Wege. Es hat keinen Wert, *einen* von ihnen zu schildern. (Er kann den größten Wert haben: ./.) Die Psychologie zeigt uns aber vielleicht einen oder den anderen von besonderer Bedeutung. Typologie des Ehebruchs. Doch ist das nicht Sache des Dichters. S. -logie. Es ist eine Vernunftfrage.

Persönlich bestimmend war, daß ich von Beginn an im Problem des Ehebruchs das andere des Selbstverrats gemeint hatte. Das Verhältnis des Menschen zu seinen Idealen.

Wie immer aber: ich war nicht determiniert. Ich hatte so viel Ursache einen bestimmten Ablauf wie viele andere zu beschreiben.

Da bildete sich in mir die Entscheidung, den «maximal belasteten Weg» zu wählen / den Weg der kleinsten Schritte / den Weg des allmählichsten, unmerklichsten Übergangs /.

Das hat einen moralischen Wert: die Demonstration des moralischen Spektrums mit den stetigen Übergängen von etwas zu seinem Gegenteil.

Es kam aber hinzu und entschied ein anderes Prinzip. Ich habe es das der «motivierten Schritte» genannt. Seine Regel ist: Lasse nichts geschehen (oder: tue nichts), was nicht seelisch von Wert ist. D. h. auch: Tue nichts Kausales, tue nichts Mechanisches.

Ich will nicht behaupten, daß dies ein gutes Prinzip ist, nicht einmal ein durchführbares und eindeutiges. Ich bin jetzt erst dabei (Mann ohne Eigenschaften) dieses Prinzip in seinen Beziehungen zur Welt näher zu untersuchen.

Aber es ist ein heroisches Prinzip (damals – nicht heute! – gewähltes Wort). Ein prometheisches. Eines das die Kampfkräfte der Seele vom Unfug ablöst und dem Wesentlichen dienstbar macht. Ein – wie mir schien – weiterführend-klassisches. Es ist das Prinzip der Größe.

Es bestimmt nicht, was man tun soll, sondern wie man es tun soll. (Zu diesem moralischen Grundsatz siehe wieder Mann ohne Eigenschaften)

Aber es ist nichts weniger als eindeutig. Es ist bestimmend, aber die ergänzenden Bestimmungen bis zur eindeutigen Wahl dessen, was niederzuschreiben ist, erfolgen aus der Einengung durch den gewählten Stoff udgl.

In der Tat sind die Vereinigungen (Claudine) ein aufs genaueste ausgeführtes Vorerleben ohne tote Strecke. Ein Erleben, das scheinbar durch den leisesten Hauch von außen bewegt wird, im Entscheidenden aber von außen ganz unbeweglich ist.

Die Schwäche war, daß in diesem Nichtgeschehen, das eine immer länger werdende Motivkette umspannen mußte, das Äußere überdehnt wurde, etwas allzu Leises entstand, scheinbar eine Absonderlichkeit, scheinbar eine ästhetische Abgeschlossenheit udgl. so daß niemand den festen Grund bemerken wollte.

Die Schwärmer sind als eine verbesserte Wiederholung des gleichen entstanden. Auch zeitlich schon während der Arbeit an den Vereinigungen beginnend. Was vermieden werden sollte, war das Inzüchtige. Nichts konnte sich besser dazu eignen als der Zwang, für eine Bühne zu arbeiten.

Neu kam hinzu eben die Problematik der Bühne.

Man kann sagen, die Bühne hat sogar eine eigene Scheinkausalität entwickelt, die sich immerdar wiederholt.

Es ist ein abgemachtes Glockenspiel mit den gleichen Glocken und Klöppeln.

Das Wesentliche über das Theater.

Meine Abneigung gegen Ibsen (gegen den «andern» Ibsen nicht ganz berechtigt)

Das Prinzip der motivischen Schritte.

Das ziemlich erschöpfende Zitat aus Maeterlinck.

Bühne als moralische Anstalt. Weshalb man ins Theater gehen könnte.

Und das damals aufkommende Regisseurtheater.

Ich habe nachher nicht wenig Theatererfahrung erworben (Kritiker) Aber ich bin bei meiner Auffassung geblieben.

Und die Schwärmer sind kein Buchdrama.

Ihr Prinzip: der Kampf um den Sinn. In einem Ausschnitt gezeigt. Aber nicht nur der Kampf, sondern die Mittel im Kampf. Sinn wurde gegeben. Aus der Sinnbewegung folgte erst die der Handlung. Also eine Anwendung des Prinzips der motivischen Schritte.

Diese Leidenschaften bewegten nicht kausal, sondern im Wesen.

Die Indetermination: Die Wesensbewegung kann sich sehr verschieden einkleiden. Die verschiedenen Handlungen der Schwärmer zu schon feststehendem Dialog.

[Nachtrag: daß sich der Mensch auf der Bühne nur im Dialog wirklich äußert]

Das Schicksal der Schwärmer.

# Inhalt

# Robert Musil

**Der Mann ohne Eigenschaften**
Band 1: Erstes und Zweites Buch
Band 2: Aus dem Nachlaß
Roman
Herausgegeben von Adolf Frisé
2192 Seiten. Gebunden und als
Taschenbuchausgabe in der
Reihe „rowohlt jahrhundert"
40001 und 40002

**Prosa und Stücke – Kleine Prosa –
Aphorismen – Autobiographisches –
Essays und Reden – Kritik**
Herausgegeben von Adolf Frisé
1968 Seiten. Gebunden

**Briefe 1901 – 1942**
Mit Briefen von Martha Musil, Alfred
Döblin, Efraim Frisch, Hugo von
Hofmannsthal, Robert Lejeune, Thomas
Mann, Dorothy Norman, Viktor Zucker-
kandl und anderen.
Herausgegeben von Adolf Frisé
Band 1: 1488 Seiten. Gebunden
Band 2: Kommentar, Register.
848 Seiten. Gebunden

**Tagebücher**
Herausgegeben von Adolf Frisé
Band 1 und 2 im Schuber
(Band 2: Anmerkungen, Anhang,
Register) zusammen
2512 Seiten. Gebunden

rororo

C 2094/4